YOGA

HARMONIE DU CORPS
ET DE L'ESPRIT

Sri Ananda

YOGA

HARMONIE DU CORPS ET DE L'ESPRIT

Cinquième édition complétée
avec SURYA NAMASKAR

SEGHERS

LA PREMIÈRE ÉDITION DE CET OUVRAGE A ÉTÉ PUBLIÉE AUX ÉDITIONS ROBERT LAFFONT EN 1972.

ISBN : 2-221-01260-7

Je dois une profonde reconnaissance à la mémoire du Swami KUVALAYANANDA, docteur en médecine, fondateur et directeur de l'Institut de Yoga de Lonavla, en Inde, qui m'a accordé son aide précieuse et m'a guidé au cours de mes recherches sur le Hatha-Yoga.

Remerciements

*Je tiens à adresser mes plus vifs remerciements
à Shrimati Anjali Devi Anand, professeur de Hatha-Yoga
au CENTRE INDIEN DE YOGA de PARIS,
pour son précieux concours.*

Avant-propos

L'engouement que suscite le Yoga dans le monde est un signe rassurant. L'homme, parvenu à une science quasi diabolique de la nature et à une prodigieuse capacité d'autodestruction s'aperçoit, avec épouvante, qu'il ne sait presque rien sur sa propre nature, la nature qui est en lui.

L'Inde ouvre une voie dont la révélation s'intègre dans une tradition millénaire. Mais cette voie n'est accessible qu'à une minorité sérieuse, sincère, patiente et disciplinée. Et, par-dessus tout, on ne peut s'y engager sans guide. Car les pratiques du Yoga ne sont pas simplement mécaniques ou même scientifiques, mais aussi philosophiques. Les préliminaires de tout Yoga, tels qu'ils sont définis dans les aphorismes de Patanjali, comportent une maîtrise complexe impliquant plusieurs qualités morales, dont une pureté physique absolue aussi bien dans la conduite que dans l'alimentation. Ainsi, le Yoga associe le corps à l'esprit dans sa totalité; c'est le cas dans les exercices du Prânâyâma où Prâna est à la fois le souffle et le dynamisme cosmique universel. Chaque acte individuel étant un événement cosmique, l'effet ressenti par le corps s'unit à l'émotion de l'esprit et le résultat est une unité vivante que nulle technique, aussi scienfique soit-elle, ne peut produire. C'est pourquoi le Yoga, sans les notions qui lui servent de base et sans le respect de toutes les règles spirituelles qui l'accompagnent, n'est ni imaginable ni efficace.

Ici intervient l'implacable exigence d'authenticité. Seul un maître véritable peut aider dans cette quête de l'union du corps et de l'esprit, sans laquelle le Yoga ne serait qu'une recette pour assurer la santé corporelle ou provoquer l'apparition de pouvoirs excentriques.

Sri Ananda, dont je connais depuis de longues années la rigueur et les efforts, situe bien le problème dans son contexte approprié. Par son sérieux, sa simplicité et sa clarté ce livre peut répondre aux préoccupations de celui qui veut faire en lui-même un effort de découverte pour universaliser dans sa conscience toutes ses possibilités de compréhension et d'amour.

E. POUCHPA DASS
Conseiller culturel à l'ambassade de l'Inde (Paris)

Préfaces

I

Il y a une réciprocité inaltérable et une responsabilité mutuelle entre le corps et l'âme; affirmer le corps, c'est affirmer l'unité qui se cache derrière le complexe corps-âme-esprit. Le corps seul ne peut pas revendiquer une existence séparée de cette unité, et toute discipline, qui prépare le corps à être l'élément promoteur efficace de cette unité, peut éventuellement être une voie vers la réalisation du Soi. Dans ce sens, le Hatha-Yoga, qui est d'abord une méthode pour faire du corps un outil parfait, peut être appelé le chemin de la réalisation du Soi (Soi étant le complexe corps-âme-esprit). Le corps est un signe, un langage de Dieu et du Suprême. Comment perfectionner ce « signe », de sorte que nous parlions mieux à Dieu et que nous comprenions mieux ce que Dieu nous dit?

La réciprocité entre le corps et l'âme est rendue évidente par le *Prâna,* principe de caractère neutre, ni uniquement physique, ni uniquement spirituel.

Le *Hatha-Yoga* fait grand cas du *Prâna* et de la respiration par les narines alternée, suivant un certain rythme, ainsi que de la respiration qui accompagne les postures. Si nous pouvons relaxer le corps, c'est grâce à la pensée (ou la conscience) derrière le corps. Lorsqu'on me dit : « Relaxez-vous », ma première réaction est de me contracter, et ensuite, seulement de me relaxer. Pourquoi? Parce que mon corps réagit à l'instruction d'abord sans succès; puis ma pensée, qui alimente mon corps, met l'instruction en pratique et réussit à relaxer le corps. Le messager qui élabore et exécute l'ordre de la pensée est le *Prâna* ou énergie pranique. En cas de maladie, par exemple, le *Prâna* est le fil conducteur, qui canalise notre volonté de guérison.

Le présent ouvrage est doublement précieux. Tout d'abord, son auteur, Sri Ananda, a appris le *Hatha-Yoga* d'une manière très traditionnelle d'un maître hindou. Il insiste avec prudence et sagacité sur la respiration, élément souverain dans le *Hatha-Yoga*. Ensuite, grâce à son séjour en Europe, il a saisi les besoins des Occidentaux et il leur apporte une technique dont l'authenticité est indiscutable.

Il est frappant de constater que les déclarations des anciens contemplatifs de l'Inde, concernant le corps, sont confirmées par la science d'aujourd'hui. Les Yogis affirmèrent le caractère sacré de la colonne vertébrale, au centre de laquelle se trouve la *Sushumna*, champ de toute expérience de haute qualité spirituelle. Le Hatha-Yoga préconise plusieurs postures qui exercent la colonne vertébrale.

Ce que les Yogis ont trouvé dans leur méditation par la voie intuitive, la science est arrivée à le confirmer par la méthode expérimentale. Si les contemplatifs de l'Inde ont une contribution capitale à apporter à l'Occident actif, ce dernier – par l'acceptation et la pratique du *Hatha-Yoga* et des autres méthodes yoguiques – fait preuve de sensibilité et d'ouverture spirituelle. Un pont vivant se forme ainsi entre l'Orient et l'Occident. Par sa compétence, le présent ouvrage, qui voudrait permettre à tous d'atteindre l'harmonie du corps et de l'esprit, contribue à rendre ce pont encore plus solide.

SWÂMI NITYABODHÂNANDA

Ordre de Ramakrishna (Inde)

II

Parmi les informations qui, au cours des siècles, sont parvenues des « Indes fabuleuses » dans les pays de l'Ouest, celles qui concernent les Yogis, souvent considérés comme d'étranges faiseurs de miracles, ont de tout temps suscité un intérêt rempli de curiosité, mais n'ont pas toujours permis de comprendre le véritable enseignement du Yoga. L'auteur de cet ouvrage, Sri Ananda, a eu le mérite, comparé aux autres spécialistes qui ont traité ces questions, au cours des dernières décennies, de présenter sous une forme exhaustive la théorie et la pratique de la science du *Hatha-Yoga*.

La conception d'une entité composée du corps et de l'esprit remonte aux premiers âges de l'humanité : à chaque état corporel correspond une vie spirituelle et, de son côté, chaque processus psychique s'accompagne d'une manifestation physique. Cette dernière constatation est facile à comprendre, puisqu'elle correspond à l'expérience quotidienne. L'inverse, à savoir l'action du corps sur l'esprit (réalisée dans le *Hatha-Yoga* par des exercices de respiration *Prânâyâma* et des attitudes du corps *Asanas*), constitue, pour les pays de l'Ouest, une vérité nouvelle, dont se sont inspirées par ailleurs au cours des dernières années la méthode de l'*entraînement autogène* et celle des *exercices musculaires isométriques.*

La vie de l'homme moderne s'est écartée, par la force des choses, des conditions indispensables à sa santé physique et morale. Il s'ensuit que nous constatons une augmentation constante des signes de maladies qui s'apparentent au cadre des *syndromes fonctionnels,* c'est-à-dire qui se manifestent par des troubles de santé, que ne peut toujours maîtriser entièrement une médecine purement orientée vers les méthodes des sciences naturelles. L'emploi des procédés et de l'appareillage de la médecine moderne donne souvent, dans des cas de ce genre, des résultats décevants.

Les causes des maladies résultent, non seulement du mode de nourriture insuffisamment équilibrée, du manque de mouvement et des agressions de notre environnement vital, mais aussi, pour une part importante dans le domaine des facteurs corporels, du défaut d'alternance entre les tensions et les relaxations. A cet égard, la pratique du Hatha-Yoga constitue une méthode d'exercices de détente qui a été éprouvée et développée au cours des siècles et elle apporte à la médecine une aide précieuse. Ce procédé est applicable à la médecine préventive, à l'autothérapie et à la rééducation, toujours avec la même efficacité. Mais le but de la méthode du Yoga se situe bien au-delà, et l'enseignement de cette discipline prétend être autre chose qu'une « simple méthode de réparation des dommages apportés par la civilisation moderne ». Du point de vue médical, on ne peut qu'apprécier la valeur des résultats obtenus à ce stade préliminaire. Cette méthode pragmatique nous donne les moyens de mettre en pratique un enseignement précieux et utile.

Il n'y a pas de moyen de guérison qui ne comporte des actions secondaires nuisibles. L'auteur de ce livre démontre, avec raison, que les exercices de Yoga doivent être effectués sous une direction compétente, sinon ils peuvent, dans certains cas, être dangereux pour la santé.

Malgré tout ce qui sépare les hommes, nous vivons le début d'une période de croissance de culture mondiale et d'universalité de la science. C'est grâce à la médecine rationnelle orientée vers les sciences naturelles que l'art de la guérison a connu un succès jusqu'ici insoupçonné auquel participent les pays d'Orient. Mais le développement de la civilisation comporte des menaces et des atteintes à la santé de l'homme, contre lesquelles le traitement exclusivement fondé sur des méthodes traditionnelles ne peut toujours suffire.

Avec le *Hatha-Yoga,* l'Inde nous montre une possibilité éprouvée de combler pour notre usage cette lacune thérapeutique. Puisse le présent ouvrage de Sri Ananda être utile à tous, en vue de trouver cette voie et d'y progresser avec succès.

DOCTEUR WERNER PH. BUBB

Spécialiste des voies digestives (Zurich, Suisse)

Illustrations

Asanas exécutés
par ANJALI DEVI ANAND
Professeur de Hatha-Yoga
au Centre Indien de Yoga, Paris
et
SRI ANANDA

Introduction

En Inde, le Yoga est considéré comme une méthode permettant de vivre harmonieusement, en favorisant le progrès spirituel de l'homme par le contrôle du corps et de l'esprit. La pratique des Asanas (postures yoguiques) et du Prânâyâma (contrôle du souffle), mieux connue sous le nom de HATHA-YOGA, n'est pas seulement utile pour acquérir une parfaite santé, conserver la jeunesse et prolonger la vie, mais elle est destinée à développer la force intérieure qui permet à l'homme de surmonter les défaillances et de supporter avec sérénité les épreuves. Elle sert de préparation corporelle à une recherche yoguique plus élevée, telles que la concentration et la méditation. Ainsi le Hatha-Yoga rejoint le Raja-Yoga dont le but suprême est l'état de Supra-conscience.

Selon les grands Yogis, celui qui sait combiner les postures yoguiques (Asanas), les méthodes respiratoires (Prânâyâma), et le contrôle de l'esprit ou la concentration (Dhârâna) peut atteindre un état de perfection. Les Asanas et le Prânâyâma ont pour but d'améliorer l'état du corps humain dans son aspect physique, alors que le contrôle de l'esprit, c'est-à-dire le pouvoir constructeur de la conscience, favorise la force intérieure et développe une attitude positive et optimiste à l'égard de la vie; il anéantit la crainte du vieillissement prématuré et apporte la sérénité.

Le secret du succès réside dans la volonté,
la persévérance et la valeur du Maître.

19

La pratique des Asanas et du Prânâyâma m'a permis, tant par mon expérience personnelle que par celle de ceux auxquels je l'enseigne, de constater la valeur indubitable de cette discipline.

Je suis absolument convaincu qu'un corps faible n'est pas seulement vulnérable et sujet aux maladies, mais qu'il est aussi un obstacle au développement de la force mentale et à la meilleure expression de soi-même. Un corps équilibré et en bonne santé est une importante condition pour permettre de penser clairement et d'aboutir à la concentration. J'ai compris, en outre, que celui qui est harmonieusement équilibré, autant sur le plan physique que sur le plan mental peut atteindre un très haut niveau, en ce qui concerne sa force intérieure et sa conscience, et qu'il peut aussi développer au plus haut degré ses forces mentales et spirituelles.

L'objectif du Yoga est de nous permettre une meilleure connaissance de nous-mêmes. C'est une méthode qui vise à ouvrir les sources d'inspiration créatrice cachées dans le psychisme humain. C'est un acte d'expression multiple de notre être. Il pose les bases pour un développement de soi plus élevé et une conscience de soi plus profonde.

Le Yoga nous enseigne avant tout la discipline de soi, car on ne peut rien réaliser sans discipline. Mais quelquefois, la discipline atteinte peut devenir extrêmement rigide et unilatérale, ce qui mène au fanatisme et nuit au progrès à venir. Donc, le vrai moyen pour obtenir les résultats désirés est une discipline de soi dans l'équilibre.

Le Yoga n'est pas une croyance; c'est la recherche d'un développement intérieur de la conscience, qui agit directement au cœur même de la réalité. Il n'est pas question d'obéir aveuglément à des commandements traditionnels ou de suivre des conduites socio-culturelles bien établies, mais de se réaliser progressivement, pour aboutir à l'entière libération de l'esprit.

On m'a souvent demandé d'expliquer vraiment le Yoga, et de faire un exposé méthodique et pratique des Asanas et du Prânâyâma. Afin de répondre à tous ceux qui m'ont posé des questions, j'ai décidé d'écrire ce livre, qui repose sur l'expérience pratique des grands Yogis et Sages de l'Inde ainsi que sur les ouvrages originaux écrits en sanscrit sur les thérapeutiques yoguiques.

Que le Yoga prospère et apporte la paix au monde!

SRI ANANDA

PREMIÈRE PARTIE

« *Ceux qui veulent vraiment réussir dans le Yoga doivent renoncer une fois pour toutes à se disperser. Prenez une idée, faites de cette idée votre vie, pensez-y, rêvez-en, vivez de cette idée. Que votre cerveau, vos muscles, vos nerfs, que chaque partie de votre corps soient remplis de cette idée et laissez de côté toute autre idée. C'est le chemin de la réussite.* »

SWAMI VIVEKANANDA

« *Pour l'aspirant, il n'y a pas de qualités plus essentielles qu'une patience et une persévérance à toute épreuve avec une foi qui reste ferme à travers toutes les difficultés, les délais, et les échecs apparents.* »

UPANISHADS

A la recherche du yoga

Lorsque j'étais petit garçon, ma mère me racontait des histoires merveilleuses à propos des Yogis et de leurs pouvoirs surnaturels. Chaque jour, j'attendais avec impatience la tombée de la nuit, afin d'entendre une nouvelle histoire sur les Yogis. Je refusais de dormir si ma mère ne me la racontait pas. C'était devenu ma passion. J'en ai conservé jusqu'à maintenant un souvenir très vivant et, parfois même, j'en rêve. Ma mère était une sainte femme, très douce, très pieuse et extrêmement généreuse. Sa charité était sans limite. Mon père lui disait : « Si tu continues à tout distribuer comme cela, il ne restera rien pour nous et pour nos enfants ». Ma mère répondait avec ferveur que Dieu s'occuperait de tout. Dieu s'occupait réellement de tout. Nous n'avons jamais été en difficulté. On eût dit que tous les problèmes se résolvaient d'eux-mêmes. Ma mère secourait non seulement les pauvres, mais aussi tous ceux qui venaient lui demander son aide, sans distinction de caste, de croyance ou de religion. Elle n'a jamais déçu personne. Tout cela devait laisser une impression profonde et ineffaçable dans mon esprit et devenir le flambeau qui illumine chaque instant de ma vie.

J'avais une telle admiration pour les Yogis que, lorsqu'il m'arrivait de voir un fakir dans les rues accomplissant une prouesse physique ou quelque tour de magie, je me demandais de quoi pouvaient être capables les véritables Yogis, puisque ces fakirs avaient acquis une telle maîtrise de leur corps.

Le mot Yogi en lui-même exerçait un effet magique sur moi. Au lieu de sortir avec des amis pour m'amuser, je passais mon temps à lire tous les livres qu'il m'était possible de trouver sur le Yoga. J'avais lu dans certains d'entre eux que la pratique du Siddhâsana (posture de l'adepte) et du Sîrshâsana (se tenir sur la tête) était la meilleure façon d'arriver à la continence, à la conversion de l'énergie sexuelle en force spirituelle et qu'elle favorisait l'éveil de la *Kundalini Shakti* (énergie cosmique latente et endormie, lovée à la base de la colonne vertébrale).

Les facultés, telles que la clairvoyance, la communication télépathique, la vision claire du passé et de l'avenir, la possibilité de lire les pensées et toutes sortes d'autres pouvoirs occultes, pouvaient alors se développer. Mon intérêt, déjà très vif, pour ces questions devint brûlant. J'avais entendu et lu tellement de choses sur les Yogis que le Yoga devint toute mon existence. Je ne pus résister à la tentation de faire mes propres expériences.

Par un bel été, pendant les grandes vacances scolaires, je me mis immédiatement à pratiquer tout seul le Siddhâsana et le Sîrshâsana, ne demandant, ni avis, ni conseil à un gourou (maître). J'étais convaincu que j'étais la seule personne sur cette terre ayant découvert les secrets pour devenir un véritable Yogi.

Je ne songeais à rien d'autre qu'à pratiquer le Siddhâsana et le Sîrshâsana pendant des heures et avoir la joie d'acquérir des pouvoirs surnaturels. Je ne parlais que du don de lire dans la pensée d'autrui, de voir le passé et l'avenir. Indifférent à la chaleur et au froid, aux peines et aux plaisirs de la vie, je vivais dans un monde étrange qui n'appartenait qu'à moi, tout à fait persuadé que, seules, de telles pratiques feraient de moi un Yogi parfait. Je m'imaginais que de simples exploits physiques engendraient automatiquement des résultats spirituels.

J'étais tellement passionné que rien au monde ne pouvait me tenter ou me distraire de ces pratiques. Le désir de maîtriser mon corps et mes sens devint si fort que je m'entraînais sans interruption. Ayant entendu dire que le sel, les sucreries, les plats épicés et les mets amers étaient néfastes à la spiritualité, j'y renonçai sans hésitation. Après une période d'austérité et de discipline rigoureuses, je n'obtins qu'un maigre résultat. Il était de nature psychique et non spirituelle, comme je l'avais espéré, bien que cela m'eût aidé à développer ma volonté et à contrôler mes passions et mes désirs. J'étais très déçu et me demandais pourquoi ma *Kundalini Shakti* ne s'était pas encore éveillée. De plus, je me sentais épuisé et désorienté. J'allai voir un gourou (maître spirituel) et lui demandai les causes de mon échec. Lorsque je lui eus parlé de mes tentatives, il me répondit que j'étais venu le voir au bon moment, car, si j'avais continué dans cette voie, je serais allé au désastre.

Il ajouta que ma pratique ininterrompue, sans être guidée par un maître compétent, aurait pu être à l'origine de dégâts irréparables causés au cerveau par l'afflux excessif de sang.

Il me fit observer que je ne devais pas me sentir déprimé, ni me décourager pour autant. Il me cita un texte des *Upanishads* :

> « Ceux d'entre les aspirants qui permettent à leurs fautes ou à leurs échecs de les déprimer, ou de les décourager outre mesure, ne font que rendre le sentier plus ardu et plus difficile. Néanmoins, la première condition d'une croissance, tant spirituelle que physique, est de savoir reconnaître ses propres erreurs dans les pensées, les sentiments, les paroles et les actes. »

Il me demanda d'être patient, et me dit qu'une évolution lente est tout ce que l'on pouvait espérer au commencement.

> « La voie du Yoga n'est pas facile, chaque pouce de terrain doit se gagner au prix de difficultés. L'aspirant doit être patient et cultiver la persévérance. Il lui faut une foi inébranlable à travers tous les obstacles, les retards et les échecs apparents. »

Je tirai la leçon de cette expérience et j'en conclus que nul ne doit entreprendre la pratique du Yoga sans être guidé convenablement par un maître. Plus tard, je devais saisir combien les textes anciens sur le Yoga sont véridiques, lorsqu'ils nous mettent en garde et nous enseignent que la pratique du Yoga exige un équilibre, une harmonie, de l'ordre et une discipline comme toutes les autres activités humaines.

Je me rendis compte par la suite que les pouvoirs surnaturels (les Siddhis) ne sont que des divertissements de l'esprit. Un véritable Yogi ou un véritable aspirant au Yoga ne cherche pas à jouir de ces pouvoirs. Il n'aspire qu'à la réalisation du Soi. Pendant que je suivais les instructions spirituelles de mon Maître, il orienta mon intérêt sur la recherche du Yoga thérapeutique : comment relever le défi de la maladie, de la vieillesse et de la mort prématurée? Je décidai alors de consacrer mon temps exclusivement à cette recherche.

La thérapie par le Yoga est véritablement le moyen le plus sûr de prévenir la maladie ou d'aider à sa guérison. Un état maladif est un avertissement de la nature, qui nous invite à consacrer notre attention à la remise en état de notre corps et au recouvrement de notre santé. C'est ce que nous négligeons par ignorance. Nous vivons à une époque caractérisée par des déficiences, des maladies graves, qui entraînent la mort prématurée. Le savoir et la puissance sont vains, s'ils ne favorisent pas la santé de l'homme. La santé est un don de la nature, c'est à l'homme de s'employer pleinement à le conserver.

Des millions d'hommes et de femmes souffrent. Des milliers vont et viennent, inconscients de leurs troubles internes. Un grand nombre d'entre eux paraissent sains et forts, alors qu'en réalité ils sont les victimes de désordres physiologiques. Le travail incessant ne permet pas de s'arrêter, de réfléchir et de trouver un remède au mal qui use nos vies et celles des générations à venir. Des habitudes sédentaires, la suralimentation, un régime alimentaire déséquilibré, le surmenage et des distractions fatigantes et mal choisies, voilà de quoi est faite la vie moderne, dite civilisée. Aussi, en dépit de toutes les commodités que nous apporte la science moderne, la condition physique et mentale de l'homme se détériore-t-elle de jour en jour. Il existe cependant des institutions médicales complexes et bien équipées dont le but est de former des médecins d'élite ayant des connaissances tout à fait à jour, qui permettraient de maintenir l'homme en bonne santé.

Mais l'homme moderne ne se sent pas heureux, car il n'est pas satisfait de son mode de vie. Si nous cherchons en profondeur, nous allons nous apercevoir qu'aucun bonheur véritable n'est possible pour l'individu, aussi longtemps que sa condition physique et sa condition mentale ne sont pas parfaites. Le problème ne sera résolu que si l'homme jouit d'une santé robuste, reste pur en pensée, en parole et en action, s'élève au-dessus des attitudes matérialistes envers la vie, et comprend que toutes ses ressources, sa vie même, doivent être utilisées pour son amélioration personnelle et celle de son prochain. Jusqu'à un certain point, sans doute, la richesse matérielle va favoriser le bien-être humain; le pivot réel de la vie n'en demeure pas moins la santé.

Autres méthodes de culture physique

J'ai étudié différentes méthodes de culture physique, afin de découvrir la meilleure. La vie active et les exercices en plein air accompagnés de respirations profondes sont assurément une nécessité. Mais nos conceptions de la vie active et du but des exercices physiques sont très particulières. En général, on entend par vie active le travail continu avec peu ou pas d'intervalles de repos, et par exercices physiques le développement et le contrôle de nos muscles. On recherche la formation de muscles d'aspect volumineux, sans pour autant obtenir le renforcement du muscle cardiaque, des poumons et du système nerveux. Chaque fois que nous faisons des exercices, nous nous préoccupons des muscles volontaires, laissant les muscles involontaires sans exercice et, ainsi, nous accumulons des toxines dans notre corps. La preuve en est faite par la transpiration rapide et l'épuisement qui suivent les exercices.

Voici l'explication : nous faisons un appel insolite de sang dans notre système circulatoire, sans nous inquiéter de savoir quel est le volume exact de sang oxygéné et purifié nécessaire à la satisfaction de cet appel. Si nous étudions de près les jeux de plein air, les sports et la culture physique, nous constatons que, lorsque nous allons au-delà de nos forces, sans contrôle médical, pendant presque tous ces exercices, les muscles volontaires des bras ou des jambes et des autres parties du corps se meuvent à intervalles rapides et provoquent ainsi un taux accru de mortalité des tissus et des cellules. Le cœur bat rapidement pour satisfaire un appel anormal de sang frais, les poumons travaillent de manière exagérée, les veines ont alors une tâche trop lourde, puisqu'elles sont obligées de charrier le sang impur de toutes les parties du corps pour le conduire jusqu'au côté droit du cœur qui va le restituer aux poumons, afin de le purifier.

Ce procédé rapide et continu s'accompagne d'une tension extrême du cœur, des poumons, des veines et des organes de la circulation sanguine en général, ce qui entraîne une diminution de leur puissance. C'est pourquoi le cœur palpite, le pouls bat plus vite, la respiration s'accélère, la fatigue et la transpiration dépassent les limites, mais nous sommes convaincus que nous faisons bien et que nous améliorons notre santé. Même quelqu'un qui fait du sport ou un athlète, s'il se trouve dans cet état, doit s'allonger et prendre du repos. S'il répète régulièrement cette performance sans tenir compte de cela, il se rendra compte plus tard que son pouvoir de résistance, d'endurance et de récupération a diminué et que la souplesse de la jeunesse a cédé à la raideur de la vieillesse. C'est la raison pour laquelle on peut voir des athlètes vigoureux et des lutteurs de renom mourir de crise cardiaque, même dans leur prime jeunesse.

La discipline du Yoga

Ceux qui pratiquent seuls les postures de Yoga et les exercices respiratoires rencontrent les mêmes difficultés que celles des méthodes de culture physique citées ci-dessus. On ne peut ignorer les lois de la physiologie et de l'anatomie, car en adoptant des postures et en faisant des exercices respiratoires sans être guidé par un maître compétent, on peut faire de graves erreurs. On peut, par exemple, rester dans une posture plus longtemps qu'il n'est indiqué, faire des mouvements trop rapides, ou en faire trop à la fois, en pensant que l'on va progresser d'une façon spectaculaire et tirer un plus grand bénéfice. C'est, au contraire, une erreur de croire que plus on transpire, plus on s'épuise et plus on ressent de courbatures, meilleurs sont les résultats.

Toute vie organique est un processus d'assimilation et d'élimination. La vie humaine n'y fait pas exception. Plus grand est le potentiel d'assimilation et d'élimination d'un individu, plus grande est la réserve d'énergie vitale qu'il possède. Ce pouvoir d'assimilation dépend du pouvoir de relaxation et du pouvoir de régénération des cellules du corps. Le métabolisme du corps suit ce processus qui se déroule en deux phases. Le métabolisme, en fait, consiste d'une part en ce double processus d'élimination des cellules mortes et des autres poisons de l'organisme, et d'autre part dans la formation ou la croissance continue des nouvelles cellules. Le développement de notre corps ne dépend pas seulement de la puissance constante de multiplication des cellules vivantes en nombre et en taille, mais aussi du degré de force vitale, d'endurance et de résistance, et du pouvoir de récupération qu'elles possèdent. Plus l'élasticité de ces cellules est grande, meilleures sont leur résistance et leur endurance. C'est pourquoi certains hommes peuvent jouir d'une jeunesse éclatante et peuvent résister également à la maladie et reculer la vieillesse prématurée.

De l'expérience que j'ai faite sur moi-même et sur d'autres personnes, on peut conclure que pour tirer le maximum de bénéfice de l'exécution des Asanas (postures yoguiques) et du Prânâyâma (exercices de respiration) une complète et parfaite relaxation du mental et du corps sont absolument nécessaires. Nous provoquons un appel de sang par nos efforts physiques. C'est durant la relaxation que toutes les parties du corps ont l'occasion d'obtenir un apport adéquat de cette masse sanguine, selon le volume demandé par l'exécution des Asanas. Il faut donc pratiquer une relaxation complète, au début et à la fin de chaque Asana, et, aussi, exécuter des mouvements respiratoires.

Pendant l'exécution des postures, les mouvements doivent être lents, pondérés et uniformes. C'est par des mouvements lents, assurés et réguliers, et par un étirement complet au moment voulu, que nous arriverons à exercer une pression profonde sur diverses parties du corps. Au contraire, si les mouvements sont rapides, violents, saccadés, les tissus et les cellules ne seront, ni pleinement contractés, ni complètement relaxés. Il faut rigoureusement éviter tout effort exagéré, ne pas prolonger une posture au-delà du temps prescrit et, surtout, s'arrêter dès qu'on sent la fatigue.

Il existe d'autres caractéristiques du système yoguique, elles sont généralement ignorées de tous : ce sont les *contre-mouvements*. On doit les exécuter après les différents Asanas. Ils servent à éviter les convulsions, les constrictions, la raideur, ou même les douleurs que peuvent provoquer les postures.

En suivant cette méthode, même une personne épuisée mentalement et physiquement se sent légère, active et remise en forme. Ce n'est donc pas le système yoguique seul qui compte, mais aussi sa technique qui détermine, pour une large part, le bon fonctionnement des différents systèmes du corps humain.

Les Kriyas

(méthodes de purification interne) :
les plus connus sont le *dhauti,* le *neti* et le *basti.*

a) Le *dhauti* est la purification de l'abdomen et de l'estomac.

Il ne s'agit pas d'avaler simplement une bande d'étoffe large de quatre doigts et longue d'environ cinq mètres. Il faut d'abord la tremper dans une bassine d'eau, puis après l'avoir essorée, en introduire une des extrémités dans la bouche. On doit l'avaler lentement et progressivement, et ensuite la retirer. Voilà en quoi consiste le lavage d'estomac et de l'abdomen. Beaucoup de gens ignorants s'imaginent que les Yogis ôtent leurs intestins et les lavent, alors qu'ils exécutent le *dhauti.*

b) Le *neti* est la douche nasale ou nettoyage du nez.

Il y a deux manières de l'exécuter. La première est de remplir un bol ou un verre d'eau tiède, d'y tremper le nez, et d'aspirer lentement l'eau par les narines. L'eau va tout naturellement redescendre dans la gorge et être rejetée par la bouche.

La seconde est la méthode de la ficelle. On utilise une ficelle très douce, à brins serrés, longue d'environ dix-huit centimètres. L'extrémité doit être rendue rigide, avec de la cire d'abeille. Il faut ensuite tremper la ficelle entière dans de l'eau, la faire pénétrer par une narine tout en fermant l'autre d'un doigt, ensuite on aspire la ficelle au moyen de fortes respirations successives. Lorsque l'on sent qu'elle est parvenue au fond de la gorge, on la saisit entre l'index et le pouce, très lentement pour éviter de se faire mal. On la tire hors de la bouche, puis on lui donne un mouvement en avant et en arrière, pour nettoyer complètement la narine. Il faut procéder de la même façon pour l'autre narine.

c) Le *basti* est le lavage des intestins.

Lorsque l'on sait isoler les muscles recto-abdominaux et ouvrir le sphincter volontairement, on peut aspirer de l'eau par le colon en contractant lentement le rectum. Puis, en secouant fortement les muscles abdominaux, l'eau peut être éliminée immédiatement.

Beaucoup de gens sont tentés d'exécuter ces différents Kriyas de purification interne pour éviter les maladies, plutôt que de pratiquer les Asanas et le Prânâyâma, car ils pensent obtenir ainsi de meilleurs résultats. *Nous ne devons pas oublier cependant que les Asanas et le Prânâyâma, s'ils sont bien faits, sont plus efficaces que ces divers Kriyas. On peut donc s'en dispenser totalement, car ils sont très délicats, compliqués et dangereux, et, dans beaucoup de cas, ils se sont avérés néfastes. Si on ne les pratique pas sous la conduite d'un guide expert, qui en connaît les différents avantages et inconvénients, il faut absolument s'en abstenir.*

Conclusion

Mes recherches ininterrompues, les expériences directes que j'ai faites dans les divers instituts de l'Inde où l'on enseigne le Yoga, mes rencontres avec de vrais Yogis et de grands Sages m'ont amené à la conclusion que la méthode yoguique est la meilleure, parce qu'elle comporte des mouvements qui sont exécutés dans un but bien défini. Elle empêche la déperdition d'énergie et favorise l'équilibre de l'organisme. Elle permet d'avoir une santé parfaite, un équilibre et une harmonie physique qui assurent le bonheur, la paix et la joie de vivre.

Sous son aspect physique, la méthode yoguique a une valeur tant curative que préventive. Comme thérapie préventive, elle est sans égale. En tant que méthode curative, elle s'avère efficace pour remédier à presque tous les maux physiques et, souvent, même lorsqu'ils sont devenus chroniques. Parce qu'elle enseigne à l'homme une manière de vivre saine, naturelle, normale qui, suivie correctement, sera bénéfique pour chacun et pour tous, elle met l'accent sur le retour aux méthodes naturelles, de préférence à celles nées des habitudes de vie artificielle. Elle ne s'occupe pas seulement du corps physique, de ses soins, de son bien-être et de sa force, mais elle tend à le conserver dans son *état de santé naturel*. Elle vise à la coordination entre l'esprit et le corps et à l'évolution harmonieuse de l'homme.

Si nous désirons une santé parfaite, si nous souhaitons être immunisés contre la maladie et vivre longtemps, si nous voulons réellement découvrir une méthode qui nous permette d'entretenir notre santé et de nous régénérer, si nous recherchons le véritable développement musculaire et pas seulement son apparence extérieure, si nous voulons défier la vieillesse et retarder la mort, bref, si nous désirons rendre notre vie heureuse, il faut suivre la méthode yoguique originelle, qui est complète, rationnelle, tant du point de vue de l'hygiène que de l'évolution spirituelle. Elle satisfait à la fois le corps, l'esprit et l'âme.

Origine du Yoga

Bien qu'en Occident l'intérêt porté au Yoga s'accroisse chaque jour, il existe encore de la méfiance, bien des malentendus et des préjugés à son égard.

On peut déplorer que la plupart des articles et des ouvrages publiés jusqu'ici sur le Yoga ne donnent ni idée claire ni connaissances précises sur ce sujet. Mon désir est d'éliminer les fausses conceptions sur le Yoga et de le proposer à mes lecteurs dans sa vérité vivante.

En général, ces Occidentaux prennent les superstitions populaires et les pratiques singulières, que l'on rencontre encore en Inde parmi les masses ignorantes, pour du Yoga et de la spiritualité.

L'origine de ces superstitions remonte aux invasions successives subies par l'Inde, au cours de son histoire, de hordes étrangères attirées par ses richesses fabuleuses. Des hommes, différents par la race et la langue, les croyances et les cultures, sont venus s'y fixer. Ces immigrants ont apporté avec eux bien des idées primitives et des superstitions bizarres; celles-ci se sont perdues peu à peu; cependant, quelques-unes ont subsisté chez des gens incultes. Mais la vérité essentielle est restée profondément inscrite dans la conscience des Hindous évolués qui ont pu guider ceux qui étaient capables de les suivre. Les superstitions populaires et les curieuses pratiques des masses ignorantes ne font partie ni du Yoga, ni de la spiritualité hindoue.

Certains prennent le Yoga pour une sorte de philosophie ou de religion, prêchant un égoïste repliement sur soi-même et la négligence des devoirs envers la famille et la société.

Le Yoga n'est pas une religion. C'est une philosophie de la vie fondée sur des faits psychologiques et dont le but est de développer un équilibre parfait entre le corps et l'esprit, permettant de s'unir au divin, c'est-à-dire d'obtenir une parfaite harmonie entre l'individu et le cosmos. Le Yoga n'exige pas toujours une retraite du monde. Les grands enseignants et Sages de l'Inde, fondateurs du Yoga, étaient des pères de famille qui instruisaient leurs fils dans la connaissance du Soi. Toutes les écritures sacrées de l'Inde, les *Védas,* les *Upanishads,* les *Puranas* et les *Tantras* sont pleins de récits d'exploits d'hommes et de femmes, sans distinction de caste, de credo ou de religion, de gens de toutes catégories qui parvinrent à la plus haute connaissance par la discipline du Yoga, tout en se livrant à leurs diverses occupations.

Les Écritures se rapportant au Yoga déclarent que le but de la vie humaine est un dévouement au service de l'humanité, dépouillé du mobile de l'intérêt personnel. Le *Bhagavad Gita* nous dit que « le Yoga de l'action est supérieur à celui de la renonciation ». Les grands chefs spirituels de l'Inde, eux aussi, ont tiré leur inspiration des *Védas* et des *Upanishads.*

Que sont ces écritures sacrées?

Les Védas (le mot « véda » signifie « le savoir ») sont au nombre de quatre : le Rig-Véda, le Yajur-Véda, le Sâma-Véda et l'Atharva-Véda. Ils contiennent non seulement les conceptions religieuses, philosophiques et culturelles des Hindous, mais aussi les prémices d'une civilisation. Les Védas passent pour être la parole divine elle-même, et non une œuvre humaine. C'est pourquoi il faut comprendre les Védas, non pas comme des écrits, mais comme la somme de la Connaissance sacrée. La sagesse des Védas n'est donc pas tributaire d'une personnalité particulière, elle est impersonnelle et co-éternelle avec Dieu.

Les *Upanishads* où se trouve condensée la partie philosophique des Védas sont à la base des différents systèmes de pensée. Le mot « upanishad » signifie littéralement « enseignement qui détruit l'ignorance ».

34

Les *Puranas* sont 18 épopées qui racontent les vies légendaires et les actes des incarnations divines.

Les *Tantras,* dont le nom dérive de la racine *tan* « disséminer » – *tatri* ou *tantri* signifie « origine de la connaissance » –, offrent une voie pour réaliser le But Suprême.

Le *Bhagavad Gita,* « le Chant du Seigneur », fait partie de l'épopée, le *Mahabharata,* qui contient l'enseignement upanishadique.

Il y a aussi des gens qui confondent le Yoga avec le fakirisme, le spiritisme et d'autres noms en « isme », tout en demeurant stupéfaits des pouvoirs anormaux et des contorsions qu'ils prennent pour le Yoga. Tout ce qu'ils ne sauraient comprendre n'a pour eux aucun sens; tout ce qui n'entre pas dans le champ de leur expérience intellectuelle leur semble sot, et tout ce qui n'est pas expliqué par la science moderne leur semble une imposture. De leur part, cette attitude est presque inévitable, car ils sont incapables d'élever leur pensée; celle-ci reste sur les plans inférieurs et ils manquent d'objectivité. Ils prennent la mesure de toute chose et portent leur jugement en se fiant à leur petit *ego,* ce qui rétrécit singulièrement leur champ d'expérience; la conscience qu'ils ont d'eux-mêmes étant centrée uniquement sur leur personne.

On m'a souvent demandé si les Yogis étaient capables de prouesses, de contorsions et d'autres actes magiques, comme ceux d'arrêter le cœur à volonté, de boire de l'acide, d'avaler du poison, de mâcher du verre, de se percer la langue d'un couteau, de se coucher sur un lit de clous, de rester sous la terre pendant plusieurs semaines, de marcher sur le feu et sur l'eau, de se rendre invisible, etc., et si je pouvais en faire autant! En Inde, on rencontre parfois dans les rues des gens de cette sorte qui exhibent la maîtrise et le contrôle qu'ils exercent sur leur corps par des contorsions et des exploits bizarres, et gagnent un peu d'argent en attirant les foules : on les appelle des fakirs.

Il existe aussi un autre genre d'ambitieux qui développent le pouvoir de concentration par la pratique du Yoga, afin d'exploiter certaines situations pour leur profit personnel.

Or, ni la santé ni la spiritualité ne réclament de telles pratiques. Ceux qui se sentent attirés par l'obtention de pouvoirs supranormaux et se livrent à ces pratiques sont en général faibles et manquent d'intelligence et de mobiles spirituels.

De telles pratiques ne font nullement partie du Yoga. De tels individus ne doivent pas être confondus avec les véritables Yogis. Il est d'ailleurs extrêmement rare de rencontrer un vrai Yogi. Ils ne vont pas s'asseoir dans la rue pour s'offrir à la curiosité des passants. Ce sont des hommes sages et saints qui vivent dans les plus hautes sphères de la spiritualité.

Le Yoga est donc l'expérience du calme parfait de l'esprit et de la connaissance de soi. Il forme l'esprit psychologiquement et augmente son pouvoir de perception. Il aide à apercevoir, grâce à la concentration, les subtiles réalités de la vie, ce qui éclaire nos existences et notre sens moral. Il oriente notre vie et nos aspirations spirituelles vers leur parfaite expression, vers cet accomplissement où la connaissance unit celui qui connaît avec ce qui est connu.

La tradition du Yoga naquit en Inde, il y a de cela quelques milliers d'années. Ses fondateurs étaient les Rishis et les Maharishis, les grands saints et sages. Ils étaient d'authentiques Yogis. Il n'avaient pas seulement une maîtrise complète de l'esprit et du corps, mais également de ce qu'il est convenu d'appeler les pouvoirs et les sciences surnaturels. Ils comprenaient que la vie avait ses limites, qu'elle comportait d'inévitables douleurs et des souffrances provenant de sa dualité et des myriades d'illusions qu'elle engendre. Ils voyaient que la vie avait un sens, un but par-delà la souffrance. Ils étaient persuadés qu'il existait un moyen d'échapper aux tragiques problèmes de la vie. Leurs efforts incessants pour chercher la vérité portèrent des fruits. Ils franchirent les frontières du mental, les limites des sens et du raisonnement intellectuel. Tous les philosophes et toutes les religions du monde nous assurent qu'à un certain moment l'esprit humain est capable de transcender non seulement les limites des sens, mais aussi le pouvoir du raisonnement. Ces Sages voyaient, eux, les vérités les plus cachées de la vie grâce à leurs perceptions supranormales, obtenues au moyen de la concentration des pouvoirs de l'esprit. Ils étaient, de plus, émus par les souffrances qui les entouraient et voulaient délivrer les hommes de l'ignorance et les conduire sur le chemin de la libération. Ces grands Yogis offrirent des interprétations rationnelles de leurs expériences et mirent à la disposition de tous une méthode pratique, scientifiquement élaborée, en sorte que chaque être humain puisse comprendre et tenter de suivre les vrais chemins de la vie à travers les expériences qui mènent à l'ultime but : la réalisation du Soi (l'illumination).

Au commencement, cette connaissance n'existait que dans les monastères, les ashrams, dans les grottes de l'Himalaya et dans les forêts profondes. Elle était enseignée par un gourou (maître spirituel) à ceux qui étaient réellement aptes à la recevoir et que l'on appelait des *chelas* (disciples). Plus tard, le Yoga se répandit dans l'Inde entière. Cette science se développa de diverses façons. Parmi les œuvres les plus importantes consacrées à ce sujet, il faut citer les *Yoga Sûtra* ou les *Aphorismes de Patanjali* accompagnés des commentaires de Vyasa.

Aujourd'hui le Yoga n'est plus un privilège restreint, réservé aux seuls ermites; il vient prendre sa place dans la vie quotidienne.

Qu'est-ce que le Yoga?

Le niveau de conscience de l'homme en général est assez bas. Il vit, esclave de la vie, de faux espoirs et d'illusions. Son existence se passe dans l'ignorance, avec ses joies et ses peines, ses réussites et ses échecs, ses amours et ses douleurs, sans qu'il parvienne jamais à l'ultime réalisation. La grande masse de l'humanité se laisse gouverner et mener par les sens. Sous l'influence des sensations et des passions, les hommes font des erreurs qu'ils regrettent ensuite. Et ils se trompent en cherchant la paix, le bonheur et leur propre accomplissement à travers les plaisirs des sens. Il est normal que l'esprit humain soit curieux de connaître les faits et les principes sous-jacents de la nature au moyen d'une expérience physique. Nous remarquons tout de suite que nos expériences au niveau physique ne sont que temporaires, superficielles et illusoires du fait des limites de nos sens. Bien sûr, la connaissance des objets est utile et nous aide à atteindre des buts matériels, mais elle est incapable de nous montrer le vrai but de l'existence.

La science moderne nous accorde des loisirs, nous apporte le confort, facilite notre vie matérielle, mais elle ne nous donne pas la paix de l'esprit et le calme intérieur. Il existe tant d'exemples dans le monde où les gens ont tout ce qu'il leur faut sur le plan matériel, mais sont cependant malheureux, agités, tourmentés.

Le but de la vie doit être recherché dans les profondeurs de l'âme, au moyen de l'expérience, de l'espérance, de la foi, du calme de l'esprit et de la sagesse spirituelle. Nous remarquons que les expériences au niveau spirituel sont permanentes et vraies; alors, toutes les illusions se dissipent et la Vérité brille dans toute sa splendeur.

De même que l'image ne peut se refléter dans un miroir couvert de poussière, et qu'un vase de cristal rempli d'eau boueuse ne peut la réfléchir, le mental de l'homme est habituellement obscurci par l'ignorance, les illusions et l'égocentrisme.

Les Yogas représentent tous les moyens qui permettent de soulever le voile de l'ignorance ou de l'illusion (Maya), pour que le mental humain parvienne à réfléchir la lumière de la Réalité ultime.

Le mot « Yoga » vient de la racine sanscrite « yug » qui veut dire « joindre »; il désigne la rencontre de notre nature inférieure avec notre nature supérieure, qui permet à la plus haute de diriger l'autre vers l'union avec le Soi. Il signifie aussi la communion avec l'esprit suprême, afin d'obtenir la délivrance de la douleur et des peines.

> « Celui qui contrôle son esprit et qui a son intellect et son ego absorbés dans l'esprit universel qui est en lui, se réalise et trouve un accomplissement et une félicité intérieurs qui sont hors de la portée des sens et du raisonnement », dit le BHAGAVAD GITA.

Les grands Sages de l'Inde ont mis au point des méthodes variées, adaptées aux différents tempéraments, afin que chacun puisse atteindre le but selon ses capacités mentales et physiques. En apparence, les méthodes du Yoga semblent diverses, leur but est cependant le même : la réalisation du Soi. En fait, dans la pratique, tous les Yogas sont plus ou moins mêlés. Le point essentiel est que toutes les voies du Yoga enseignent un contrôle de soi-même et une discipline sans lesquels toutes ces méthodes s'avéreraient inutiles.

Les différents systèmes de Yoga

D'une façon générale, il existe quatre types d'individus dans le monde : l'intellectuel, l'actif, l'émotif, le contemplatif.

Ceux qui sont des intellectuels suivent la voie du *Jnana Yoga,* voie de la sagesse et du discernement.

Ceux qui sont actifs suivent la voie du *Karma Yoga,* voie de l'action et des services accomplis sans mobiles égoïstes, tel le Mahatma Gandhi qui, par son exemple, a montré au monde que l'on peut trouver Dieu en servant l'homme.

Ceux qui sont émotifs suivent la voie du *Bhakti Yoga,* sentier de la dévotion et de l'amour, où la personnalité est dissoute et où l'on devient complètement désintéressé.

Ceux qui donnent la priorité à la contemplation suivent le sentier du *Raja Yoga,* c'est-à-dire la voie qui consiste à contrôler et à maîtriser l'esprit grâce à la concentration mentale. Le Raja Yoga recommande les méthodes et la pratique adéquates des postures et du contrôle de la respiration, appelées *Hatha-Yoga,* en vue de la recherche du calme, de l'équilibre mental et de la paix de l'esprit. La santé du corps est très importante pour le développement mental, c'est pourquoi, le Hatha-Yoga et le Raja Yoga se complètent l'un l'autre et constituent une même démarche vers la libération de l'esprit. Nous verrons plus tard, en détail, l'étude du système du Hatha-Yoga (voir page 61).

Il existe encore beaucoup d'autres Yogas tels que : l'union avec la puissance divine (*Kundalini Yoga*), la maîtrise de la pensée par la méditation (*Dhyana Yoga*), la répétition d'une formule sacrée (*Mantra Yoga*), le contrôle de la volonté (*Laya Yoga*), le contrôle des forces dans la nature humaine (*Shakti Yoga*), l'usage des gestes symboliques pendant la méditation (*Mudra Yoga*), la réalisation d'une expérience mystique (*Yantra Yoga*).

Toutes ces variantes appartiennent à l'un des quatre principaux Yogas; parfois, ces derniers paraissent tellement similaires qu'il est difficile de les distinguer l'un de l'autre.

> « Le Yoga n'est pas pour ceux qui jeûnent ou qui torturent leur chair, ni pour ceux qui dorment ou veillent trop, il n'est pas pour ceux qui travaillent trop, ni pour ceux qui ne font rien. »
>
> Bhagavad Gita

Il faut éviter les extrêmes. Trop de jeûne ou trop de sommeil affaiblissent le corps et endommagent tout le système nerveux. Par la modération et la discipline, en équilibrant nos habitudes alimentaires, notre sommeil, notre temps de veille et notre travail, on réalise la parfaite harmonie avec le Soi. Ainsi, le Yoga détruit douleur et chagrin. Pour atteindre cette parfaite harmonie et ce complet équilibre, on doit avoir un contrôle absolu à la fois sur l'esprit et le corps.

> « Le Soi ne peut être connu de celui qui est paresseux ou agité, de celui qui n'est pas fort, discipliné et maître de soi. Il n'est connu, ni par le raisonnement, ni par le grand savoir. On ne peut le trouver qu'à travers le calme de l'esprit, par la pratique du Yoga et par la méditation. »
>
> Upanishads

L'attitude mentale

Les expériences médicales et les recherches psychologiques ont démontré que nos attitudes mentales négatives sont dangereuses et mènent à la maladie. Elles agissent directement ou indirectement par des attaques et des crises cardiaques, ou par des maladies dont la source se trouve dans une accumulation de tensions ininterrompues.

Il existe, bien sûr, des moyens d'y échapper temporairement par l'alcool ou les tranquillisants, mais ces remèdes sont destructifs, même s'ils ne s'avèrent pas toujours fatals. Ils accélèrent le vieillissement, dépriment, démoralisent et finalement engendrent de sérieuses maladies.

La plupart du temps, les gens se font du souci uniquement par habitude. Ils s'imaginent des choses qui n'existent pas et qui n'auront peut-être jamais lieu : qu'ils vont être financièrement ruinés et qu'il ne leur restera rien pour vivre; ou ils se sentent toujours malades, ou sur le point de tomber malades; ou ils ont peur de la solitude, d'être abandonnés et ils craignent la vieillesse, etc.

Naturellement, ces gens cherchent des excuses, s'en prennent aux circonstances matérielles et mènent une vie agitée, plutôt que d'admettre que ces maladies imaginaires ont leurs sources en eux-mêmes.

D'après les recherches scientifiques sur le Yoga effectuées au laboratoire de Lonavla, en Inde, et aussi d'après la science médicale occidentale, les soucis constants et les chagrins prolongés sont à l'origine de la formation des calculs, c'est-à-dire de petites pierres dans la vésicule biliaire ou les reins. Les frustrations et le surmenage mènent à l'épuisement nerveux.

L'alcool, le tabac, une nourriture trop grasse ou trop salée provoquent souvent de l'hypertension. Des désirs insatisfaits, le découragement, les déceptions et le désespoir produisent une sorte d'acidité dans l'estomac, et finalement des ulcères.

Une frayeur subite donne des diarrhées, alors que l'excitation fréquente favorise les maladies de cœur et les varices. Un état anxieux peut être aussi la cause d'une paresse intestinale chronique.

Tout cela prouve clairement que si nous utilisons nos forces mentales dans un sens négatif nous tomberons malade tôt ou tard.

Mais, lorsque nous utilisons nos forces mentales d'une manière positive, nous arrivons à modifier sur le champ notre point de vue et notre attitude. Une attitude mentale positive et la foi balaient nos doutes, et il nous semble alors posséder assez de force intérieure pour surmonter toutes nos difficultés.

Tous les psychologues savent que nos réactions devant ces faits sont plus importantes que les faits eux-mêmes : lorsque nous regardons en face un événement quelconque, si difficile que cela paraisse, il n'est pas aussi important que notre attitude envers lui. Un fait peut nous accabler mentalement, avant que nous ayons commencé à nous en occuper vraiment. *Un facteur des plus puissants est d'avoir confiance en soi.*

Lorsque le Yoga est pratiqué consciemment et correctement, c'est une voie sûre pour établir l'équilibre et développer la force de volonté et de résistance, et surtout pour atteindre la sérénité et la paix intérieure.

La puissance de l'esprit

*« Si la matière est puissante,
la pensée, elle, est toute-puissante. »*

SWÂMI VIVEKANANDA

On a remarqué que le corps réagit aux moindres impulsions de l'esprit. Par contre, si le corps est malade, l'esprit aussi tombe malade, et si le corps est sain, l'esprit reste sain. De même, si l'esprit est dérangé, le corps aussi se détraque. En général, les personnes fortes et saines sont d'un tempérament tranquille, alors que les êtres faibles et en mauvaise santé s'irritent facilement. Mais l'influence de l'esprit sur le corps reste beaucoup plus puissante que l'influence du corps sur l'esprit. Nous évoluons selon que nous dirigeons nos pensées d'une façon positive ou négative. Un individu agit selon ce qu'il pense et il récolte ce que ses actes ont semé.

Examinons à présent la puissante influence de l'esprit sur le corps, particulièrement sous l'aspect émotif. Les émotions peuvent être ou douces ou violentes, positives ou négatives. Lorsque les émotions sont à leur paroxysme, on les appelle des passions.

La colère, la haine, la jalousie, la peur, le désespoir, etc. sont des émotions négatives et on s'aperçoit qu'elles ont des répercussions plus ou moins profondes sur notre corps, selon leur degré d'intensité. Les bouleversements sentimentaux fréquents affectent tout le système nerveux, et des maladies peuvent en résulter. Les dérangements répétés du système nerveux font dégénérer les glandes endocrines. Dans ce cas on peut vieillir et même mourir prématurément.

Il arrive que les corps les plus vigoureux soient paralysés par une peur envahissante. Les constitutions les plus fortes sont ébranlées à force de soucis. Durant une crise de rage, on perd la maîtrise de ses nerfs et il en résulte des actes qu'on regrette ensuite.

Mais il existe aussi des émotions positives, telles que l'espoir et la confiance. Elles favorisent le bon état du système nerveux et rendent le corps sain. L'amour, la joie et la félicité apportent la paix de l'esprit et rendent optimistes.

Cependant, lorsque les émotions sont soudaines et violentes, qu'elles soient positives, telle la joie, ou négatives, tel le chagrin, elles peuvent être néfastes, car elles créent un bouleversement interne qui peut être fatal.

Ceci nous prouve que l'esprit est assez fort pour influencer à tout point de vue le corps. Il est clair qu'un entraînement physique ne donnera jamais les résultats espérés, s'il n'est soutenu par une discipline mentale. Celle-ci doit toujours prendre le pas sur la discipline physique. Pouvons-nous espérer construire une santé, un système nerveux puissant et un bon fonctionnement de nos glandes endocrines, si nous permettons à notre esprit d'errer dans toutes les directions? Comment rêver de la paix de l'esprit et de sa vigueur, si les cellules de notre cerveau sont rongées par d'incessantes préoccupations?

C'est pourquoi tous les livres anciens sur le Yoga, tels que le *Yoga Shastra,* le *Hatha-Yoga Pradîpikâ,* et le *Yoga Sutra* de Patanjali *déclarent que les « Yamas » (la discipline mentale), et les « Niyamas » (la purification mentale), doivent être pratiquées en premier lieu, et les « Asanas » ensuite.*

Les Yamas et les Niyamas sont des principes de bonne conduite qui, lorsqu'on les suit, donnent une paix suprême de l'esprit. Alors, l'être est libéré de toute émotion violente; il développe sa foi en lui-même, conserve un optimisme inébranlable et une vision claire.

Ahimsa (la non-violence), Satya (la vérité), Asteya (l'absence de vol), Brahmacharya (la chasteté) et Aparigraha (l'absence de convoitise) sont des Yamas, des règles de bonne conduite pour la société comme pour l'individu.

Saucha (la pureté du corps et de l'esprit), Santosa (le contentement), Tapas (la discipline de soi et l'austérité), Suadhyaya (l'étude de soi) et Ishwara Pranidhana (la soumission au Seigneur ou la contemplation) sont des Niyamas, c'est-à-dire des règles de purification de soi qui se rapportent à la discipline personnelle.

Pour ceux qui suivent la voie spirituelle, la pratique rigoureuse des Yamas et des Niyamas est absolument nécessaire. Ceux qui se tournent vers le Yoga, en tant que culture physique et mentale seulement

et comme thérapeutique, peuvent pratiquer les Yamas et les Niya-
mas en vue d'entretenir un esprit sain et d'accroître leur force inté-
rieure. Au sens ordinaire, leur pratique, sur une échelle modeste, est
tout à fait suffisante et nécessite seulement la modération dans toutes
les habitudes de la vie quotidienne.

Lorsque notre énergie mentale ou notre conscience est bien disciplinée, nous pouvons la diriger sur commande vers n'importe qu'elle
partie que ce soit de notre corps et, immédiatement, nous sentons
une réaction, une sorte de sensation de mieux-être. Ceci est dû à
l'abondance du flot sanguin dirigé vers cette partie du corps. De
cette façon, nous pouvons fortifier et animer graduellement chaque
partie de notre corps.

Après tout, la maladie n'est que l'expression de la mauvaise répartition des forces vitales à travers le corps humain. Lorsque les courants de l'énergie vitale sont en déséquilibre, la stabilité du corps est
dérangée et nous sommes victimes de toutes sortes d'irrégularités.
On appelle cet état : la maladie. Si ces courants de force vitale sont
dirigés consciemment et d'une manière égale vers toutes les parties
du corps, nous pouvons guérir en rétablissant notre équilibre et en
retrouvant une parfaite harmonie mentale et physique.

« La prévention, aussi bien que la guérison des maladies, doit
commencer dans l'esprit. La prévention est meilleure que le remède. »

Notre temps et le Yoga

« Les jeunes, les adultes, les personnes âgées, même les malades et les infirmes obtiennent la perfection dans le Yoga par une pratique constante. L'étude théorique seule ne mène pas au succès dans le Yoga, non plus que le fait d'en parler ou de lire des textes sacrés. Seule la pratique ininterrompue est le secret de sa réussite. »

HATHA-YOGA PRADÎPIKÂ

« Par la pratique constante du Yoga, on peut surmonter toutes les difficultés, éliminer toutes les faiblesses. La douleur peut se transformer en félicité, le chagrin en joie, l'échec en réussite, la maladie en santé parfaite. »

BHAGAVAD GITA

L'évolution humaine se poursuit sur trois plans : physique, mental et spirituel.

L'œuvre de la nature a permis à la vie physique d'atteindre sa pleine maturité. L'harmonie de la matière et l'énergie de la vie ont trouvé leur accomplissement. L'homme ne vit par pour sa propre satisfaction comme l'animal, mais possède tous les éléments nécessaires à une activité supérieure. Néanmoins l'inertie du corps physique et les perturbations provoquées par une mauvaise répartition des énergies vitales créent souvent un obstacle au développement de nos potentialités latentes.

Après le corps, c'est le mental dans lequel nous pénétrons et par lequel nous faisons évoluer la vie physique vers des buts plus élevés. Mais la vie mentale telle qu'elle existe à l'heure actuelle n'est pas pleinement évoluée chez la plupart des hommes. Chez la majorité de ceux-ci, l'esprit est inactif et parfois retardé. Les plus remarquables manifestations du mental ne sont atteintes que dans des cas exceptionnels. L'ignorance persistante de la nature du mental humain est l'obstacle principal au développement de la vie intérieure. C'est ici qu'intervient le Yoga qui nous révèle les secrets de la nature menant à une vie spirituelle.

Toutes les expériences du Yoga confirment que le mental, comme le physique, n'est qu'un instrument qui peut être utilisé pour parvenir à un état de supra-conscience qui se trouve au-delà du mental, état de supra-conscience où seules existent la connaissance pure et la béatitude.

La science dépend d'un savoir qui s'enrichit et se confirme par une expérimentation régulière, des analyses pratiques et des résultats constants, tandis que le Yoga dépend de perceptions et d'expériences directes. C'est un moyen de se perfectionner et de développer les possibilités de l'être. Le Yoga opère l'évolution individuelle beaucoup plus rapidement que le lent processus de la nature.

Beaucoup croient que le Yoga est impossible à pratiquer ou ne convient pas aux Occidentaux, parce qu'il vient de l'Orient. Ceci est inexact et tient au fait que les gens sont souvent induits en erreur. Des êtres ignorants et prétentieux, n'ayant jamais subi un entraînement véritable, s'érigent en professeurs ou en maîtres pour profiter de la popularité grandissante du Yoga et contribuent ainsi à le discréditer en créant un malentendu. D'autre part, trop de gens qui pratiquent le Yoga ne le font que par simple curiosité, parce qu'ils sont attirés par la nouveauté et par la recherche de sensations nouvelles, ou qu'ils désirent acquérir des pouvoirs psychiques et occultes et, enfin, parce que le Yoga est à la mode. Nul ne devrait rechercher l'initiation dans la pratique du Yoga pour des motifs indignes, car cela mène inéluctablement au désastre. Beaucoup d'Occidentaux ont encore des préjugés à l'égard du Yoga; mais il y en a déjà un bon nombre qui ont compris sa véritable importance.

Le Yoga doit être pris comme un moyen pour obtenir une santé parfaite et maintenir une harmonie physiologique du corps, et pour réaliser sur le plan mental un état de perfection en progressant sur le plan spirituel, grâce à un contrôle absolu de soi.

On peut en conclure que le Yoga est universel; c'est une voie dans laquelle tous ceux qui ont de la volonté peuvent s'engager, quels que soient leur âge, leur condition sociale, leur croyance ou leur religion.

Il ne renferme aucun mystère, il est accessible à tous. *Une seule
condition : il doit être pratiqué régulièrement sous la direction d'un
maître compétent.*

A ceux qui ont été déçus par leur vie matérialiste et à ceux qui
se trouvent inextricablement engagés dans des complications de toutes sortes, le Yoga apporte l'espoir et la confiance en soi. Il met en
lumière le côté pratique et psychologique des problèmes de la vie
et de la conscience spirituelle et il est, en fin de compte, une méthode
unique pour obtenir un épanouissement complet de la personnalité.

Il nous enseigne à vivre raisonnablement et à ne pas dissiper nos
forces inutilement; il nous apprend aussi à nous dominer et à conserver une attitude positive envers la vie. C'est ainsi que le Yoga nous
conduit vers l'amour universel. Et c'est par l'amour seul que nous
pouvons créer la fraternité humaine entre toutes les nations du
monde.

La méditation

Sthira-Sukham Asanam (position ferme et confortable).

PATANJALI SUTRA 46

Lorsque l'esprit est entraîné à se fixer sur un point extérieur ou intérieur assez longtemps pour arriver à éliminer toute distraction et lorsqu'on peut laisser couler sans interruption le flot de la pensée dans une direction unique, en concentrant celle-ci sur un thème défini, on obtient le *Dhyâna*, c'est-à-dire *l'état de méditation*.

Pendant la méditation, le corps étant au repos, dans le silence, la pensée s'assimile au Prâna (force vitale) (voir page 65). Comme dans le sommeil sans rêve, la respiration est le seul signe de vie. Comme dans le sommeil, l'hypothalamus se recharge pendant la méditation. On peut donc conclure que, si le sommeil est un repos compensateur, la méditation est un repos conscient et que, par conséquent, elle porte en elle des effets thérapeutiques importants.

La méditation nous aide à nous débarrasser des conflits émotionnels, des désaccords intérieurs et des tensions psychiques. Elle purifie complètement l'esprit et le libère des obstructions inconscientes. Elle suscite la manifestation de la lumière intérieure qui est à l'origine de l'éveil de la conscience du Soi. Ainsi, on accède au cœur des valeurs les plus hautes de la vie.

On peut choisir pour thème de la méditation le Soi-Suprême, l'existence pure ou encore la Valeur Universelle. Les méthodes traditionnelles les plus courantes consistent à centrer notre attention sur un objet ayant une signification personnelle ou sur un symbole universel.

Un Hindou, par exemple, fixera son choix parmi les divinités qui lui sont familières : Shiva, Vishnou, Krishna, Kali ou quelque incarnation divine; ou bien sur « AUM », la syllabe sacrée considérée comme un symbole de l'Absolu dans la religion hindoue.

Pour un bouddhiste, les représentations du Bouddha, du Lotus, ou de la Roue, peuvent être des sujets de méditation.

L'image du Christ ou celle de la Croix sera choisie de préférence par un chrétien.

L'Etoile de David dans le judaïsme et le Croissant du premier quartier de la nouvelle lune dans l'islamisme peuvent aussi être des sujets de méditation.

En résumé, selon sa foi, chacun choisira la pensée élevée ou le symbole spirituel sur lequel il préfère méditer. Le but n'est pas d'entrer ici dans le détail de toutes les techniques de la méditation mais seulement de donner un aperçu des pratiques usitées pour aider l'aspirant qui désire pénétrer dans la voie spirituelle.

La méditation dépend de trois facteurs physiologiques principaux :

1) Il faut prendre une posture ferme et confortable, sinon la pratique de la méditation est impossible. Prendre une posture ferme signifie se tenir de manière à prendre la sensation de posséder un corps. Le moindre inconfort dans la posture distraira constamment l'esprit; on doit donc choisir la posture qui permet de se maintenir immobile pendant de longs moments sans éprouver une sensation d'inconfort.

2) Il faut tenir la colonne vertébrale et la tête dans une attitude rigoureusement droite, mais sans crispation. Tous les anciens textes sur le Yoga insistent sur la nécessité de garder droite la colonne vertébrale durant la méditation pour éviter la compression des organes abdominaux qu'entraîne une position courbée, ce qui provoque la constipation et favorise bien d'autres désordres. Il existe une autre raison de se tenir droit : les nerfs du coccyx et les nerfs sacraux reçoivent ainsi une plus riche irrigation de sang qui les revitalise.

3) Durant les postures de méditation, à cause d'une moindre dépense d'énergie musculaire, les poumons et le cœur ralentissent leur mouvement. Alors la production de gaz carbonique est à son taux minimum. La respiration devient légère, presque abdominale, au point qu'on la sent à peine. Dans ces conditions, l'esprit est presque entièrement soustrait aux distractions qu'occasionnent les mouvements physiques, et peut donc s'intérioriser dans un calme parfait.

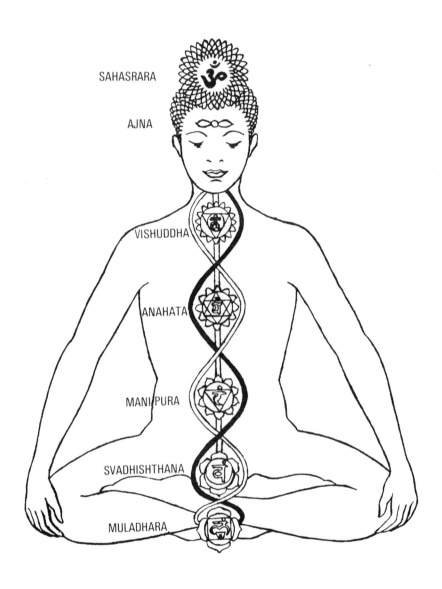

SAHASRARA

AJNA

VISHUDDHA

ANAHATA

MANIPURA

SVADHISHTHANA

MULADHARA

« Les nâdis sont comme des fibres de lotus soutenues par la colonne vertébrale et retombant vers le bas. »

SHIVA SAMHITA II – 17

Les Nâdis, les Chakras
et la Kundalini

Parmi les innombrables nâdis, les trois plus importantes se trouvent le long de la colonne vertébrale : l'*Idâ* du côté gauche, la *Pingalâ* du côté droit et la *Sushumna* au centre. Selon les Yogis, l'Idâ et la Pingalâ sont les principaux conduits par lesquels circulent les courants afférents et efférents. L'une porte les sensations au cerveau, l'autre se dirige du cerveau au corps extérieur. La Sushumna est un canal creux par où monte la Kundalini*. Les Védas l'appellent le conduit de la vigilance éclairée ou Brahmanâdi.

Pendant la méditation, les Yogis prennent conscience de certains centres subtils appelés *Chakras*. Ce sont eux qui sont à la base de la distribution régulière de l'énergie dans le corps.

Les sept *Chakras* principaux sont : le *Muladhara,* situé à la base de la colonne vertébrale, le *Svadhishthana,* situé au-dessus des organes génitaux, et en dessous du nombril, le *Manipura,* dans la région du nombril, l'*Anahata* dans la région du cœur, le *Vishuddha* au niveau de la glande thyroïde, l'*Ajna* entre les sourcils et le *Sahasrara* au sommet du crâne.

La *Kundalini* est l'énergie cosmique symbolisée par un serpent endormi et enroulé dans le *Muladhara.*

Quand la *Kundalini,* cette énergie latente, s'éveille, grâce à des postures appropriées, des exercices de Prânâyâma et de méditation,

---

* L'énergie spirituelle.

elle se fraye un passage vers le haut par la *Sushumna* et traverse l'un après l'autre les différents *Chakras.* Dès qu'elle atteint un nouveau *Chakra,* le Yogi acquiert un état de conscience plus élevé.

Les facultés telles que la clairvoyance, la télépathie, la connaissance du passé et de l'avenir et la capacité de lire les pensées d'autrui, ainsi que bien d'autre pouvoirs occultes peuvent être acquis. Cela dépend sur quel Chakra l'on médite. Mais le Yogi ne s'arrête pas là. Possédant toutes ces facultés occultes, il les écarte, car il aspire au plus haut degré de la connaissance : la réalisation du Soi-Suprême, l'Ultime Vérité.

Lorsque, par le pouvoir de la concentration, le Yogi pratiquant le Raja Yoga parvient à diriger la *Kundalini* jusqu'au septième *Chakra,* le *Sahasrara,* siège de l'esprit, et qu'il s'unit à lui, il a atteint le véritable but de la méditation : l'état de supra-conscience ou le Samâdhi.

REMARQUE : Il ne faut jamais s'engager dans cette voie sans être guidé par un maître compétent, sinon les résultats seront désastreux.

L'expérience du Yoga nous apprend que notre conscience est la source de certaines vibrations qui passent dans notre corps. Un individu ne saura élever son degré de conscience que proportionnellement au degré de résistance de son système nerveux. Si on élève ces vibrations trop vite, tout le système nerveux et le corps peuvent être détruits par des courants qui arrivent tout à coup et avec excès. L'explication en est que notre corps n'est pas préparé à supporter les hautes tensions des forces cosmiques. C'est pourquoi il est de première importance de rendre notre organisme sain et résistant en pratiquant les Asanas yoguiques adéquats et des exercices de Prânâyâma. Ainsi, en contrôlant les conditions physiques, toutes les fonctions du corps peuvent être soumises à l'esprit, de sorte que nous pouvons nous libérer des désirs et des passions. L'esprit alors s'immobilise et peut s'intérioriser dans un calme parfait pour atteindre l'Illumination complète.

DEUXIÈME PARTIE

Le Hatha-Yoga

« *La maîtrise du souffle et du corps aide indubitable-
ment ceux qui s'intéressent à leur évolution spirituelle,
car en se rendant maître de la condition physique, le
corps se tranquillise, permettant à l'esprit de s'intérioriser
plus facilement dans un calme parfait et d'atteindre sa
réalisation.* »

HATHA-YOGA PRADÎPÎKA

Qu'est-ce que
le Hatha-Yoga?

Le Hatha-Yoga est une discipline dont le but est d'assurer une santé parfaite par une purification physique et mentale, au moyen du contrôle de l'esprit et du corps. L'homme atteint alors son plein épanouissement. Celui-ci ne peut être obtenu que s'il y a équilibre et harmonie entre le corps et l'esprit. Alors se développe le pouvoir de la concentration qui mène à la réalisation du Soi.

Le pouvoir de la concentration est la plus grande puissance pour éveiller l'esprit et animer le corps. La force de l'attention, lorsqu'elle est bien dirigée, apporte les résultats souhaités.

« Il n'y a pas de limite à la puissance de l'esprit humain; plus l'esprit est concentré, plus sa puissance s'appesantit sur un point donné. »
« Les pouvoirs de l'esprit sont comme des rayons de lumière dispersés, une fois concentrés, ils illuminent. »

SWAMI VIVEKANANDA

Selon les anciens textes sanscrits, « Ha » signifie le soleil, l'énergie positive, « Tha » la lune, l'énergie négative; le mot « Yoga » est dérivé de la racine sanscrite « Yug » qui veut dire lier, joindre ou unir; il signifie également le joug.

Le « Hatha-Yoga » est la rencontre des deux forces qui animent le corps humain, c'est-à-dire l'union de l'énergie positive, symbolisée par le soleil, et de l'énergie négative, symbolisée par la lune, en un parfait équilibre. La maîtrise de ces deux courants et leur complet équilibre nous assurent une santé parfaite.

Le Hatha-Yoga est composé de trois facteurs inséparables :
le contrôle de l'esprit;
le Prânâyâma (contrôle et régularisation du souffle);
les Asanas (postures du corps).

Ces trois facteurs sont si étroitement liés que l'un sans les autres perd sa valeur. On a pu observer que l'on vit souvent un aspect de la vie, en ignorant les autres. Ainsi, un esprit brillant peut paraître très remarquable, même s'il émane d'un corps malade et dévitalisé, et un esprit assez pauvre peut se manifester dans un corps admirablement développé; mais cela ne peut durer longtemps car, en fin de compte, ce déséquilibre mène à un effondrement.

Pour vivre harmonieusement, le corps et l'esprit doivent être développés de manière équilibrée, au moyen du Prânâyâma et des Asanas. Nous pouvons, peut-être inconsciemment, remuer le corps ou le maintenir immobile et respirer, mais nous ne pouvons réaliser le contrôle de la respiration et du corps que si nous en avons conscience. C'est cette prise de conscience qui nous permet d'harmoniser notre corps et notre esprit et de créer ainsi l'équilibre indispensable. Le Hatha-Yoga nous indique comment ces trois facteurs doivent se combiner. S'ils ne sont pas pratiqués conjointement, il ne peut y avoir d'effet thérapeutique.

Si les Asanas sont exécutés avec la collaboration de l'esprit et la respiration appropriée, l'effet est immédiat. Une sensation salutaire parcourt tout le corps. Le pouvoir de la pensée concentrée, lorsque nous savons le diriger vers chacune des parties du corps, est si grand qu'avec son aide on peut animer et revitaliser tout le corps, et toutes ses fonctions peuvent être amenées à se soumettre au contrôle de la conscience.

L'objet principal du Prânâyâma est de se rendre maître des forces vitales qui opèrent dans le corps. De plus, il aide à assurer l'éveil et la libération de l'énergie psychique latente dans l'organisme. Grâce au Prânâyâma, nous transformons l'énergie cosmique en énergie humaine, pour maintenir l'équilibre des forces dans le corps.

Les Asanas sont utiles non seulement pour revitaliser le corps, renforcer le système nerveux et régénérer les glandes, mais aussi pour guérir les maladies physiques et mentales. Ils soumettent le corps humain au contrôle parfait de l'esprit.

Asanas et Prânâyâma sont un moyen effectif pour favoriser le développement harmonieux du corps, ainsi qu'un instrument efficace et puissant de progrès dans le domaine spirituel. Leur pratique régulière, combinée avec la maîtrise de l'esprit, combat les éléments négatifs tels que l'ignorance, la paresse, l'inertie, l'agitation fébrile, en même temps elle augmente la puissance de la volonté. Le Hatha-Yoga devrait être le point de départ de toutes les différentes formes de Yoga, parce qu'un corps sain est la base même de toute entreprise humaine, qu'elle soit physique ou intellectuelle. Souvenons-nous du proverbe : *Mens sana in corpore sano,* un esprit sain dans un corps sain.

On a observé que même les mystiques qui ont négligé leur corps ont grandement souffert sur le plan physique : maladies diverses, déséquilibre et mort prématurée.

Les expériences spirituelles profondes provoquent l'épuisement du système nerveux, parce qu'elles sont cause d'une émotivité intense. Sans un corps préalablement entraîné et des nerfs solides, les mystiques ne parviennent pas toujours à transformer leurs expériences en une énergie créatrice. C'est pourquoi le contrôle du système nerveux et de l'énergie vitale est absolument indispensable.

La première mesure à prendre, et la plus importante, est d'entraîner et de développer pleinement ce corps, ce qui n'est possible qu'à travers une série d'Asanas et des exercices de Prânâyâma. Ce système est connu sous le nom de « Hatha-Yoga ».

La méthode du Hatha-Yoga est unique au monde; elle nous indique comment récupérer et emmagasiner le plus possible de Prâna (force vitale); elle permet la distribution égale du Prâna à travers le corps tout entier et elle assure un bon fonctionnement de tous les systèmes de notre organisme. Les Asanas ont été élaborés à travers des siècles. Ils sont du plus grand profit pour notre santé, et leur rôle dans la conservation de la force vitale est incontestable. En les pratiquant régulièrement, on acquiert de l'agilité, de l'équilibre, de l'endurance, une grande vitalité, et on écarte la maladie. Les Asanas éliminent la fatigue et calment les nerfs, de sorte que le sommeil devient reposant.

Ils apportent aussi l'équilibre mental en empêchant l'esprit de se disperser. Ce sont les principaux avantages des exercices yoguiques.

> « Lorsque, par la discipline yoguique, l'esprit et le corps travaillent ensemble harmonieusement, on peut trouver un calme et une paix de l'esprit à tout moment. »
>
> BHAGAVAD GITA

Prânâyâma

Qu'est-ce que le Prânâyâma?

En sanscrit, *Prâna* veut dire force vitale, ou énergie cosmique. Il veut dire aussi vie ou souffle.

Ayâma signifie contrôle du *Prâna*.

Ainsi *Prânâyâma* signifie contrôle de la force vitale par la concentration et la respiration régulière.

Cette force vitale, force primordiale de la vie (Prâna), qui se manifeste dans le corps comme fonction respiratoire, est la force motrice de plusieurs autres fonctions, volontaires et involontaires, y compris le cillement des yeux et même le bâillement. Le Prâna ne nous assure pas seulement l'efficacité du physique (système glandulaire compris), il est également régulateur et animateur de notre psychisme. Il est, dans tous les sens, le souffle de l'Esprit. Ainsi, le Prânâyâma apporte des remèdes à plusieurs maux physiques et psychiques, dont l'homme moderne est la proie aujourd'hui.

Selon les *Yoga-Shastra* (textes sanscrits anciens sur le Yoga), l'univers est composé de deux substances : l'Akâsa et le Prâna. Tout ce qui a une forme, tout ce qui est le résultat d'une combinaison se développe à partir de l'Akâsa. C'est l'Akâsa qui devient l'air, les liquides, les solides, le corps humain, le corps animal, les plantes, etc. Toutes les formes que nous voyons, tout ce qui peut se toucher, tout ce qui existe, provient de l'Akâsa. Il est si subtil qu'on ne saurait le percevoir. Il n'est visible que lorsqu'il a pris forme. Mais la puissance à travers laquelle il est créé dans cet univers, c'est le Prâna.

Tout ce que nous nommons énergie ou force se développe à partir du Prâna. Dans toutes les formes de vie, de la manifestation la plus haute jusqu'à la plus basse, le Prâna est présent en tant que force vivante. En Occident, les hommes de science disent que l'univers est rempli d'éther qui, en fait, correspond au Prâna. Toute force est basée sur le Prâna; c'est lui l'origine du mouvement, de la gravitation, du magnétisme, des actions du corps, du courant nerveux, de la force de pensée. Sans Prâna, il n'y a pas de vie, car c'est l'âme de toute force et de toute énergie. On le trouve dans l'air, dans l'eau, dans la nourriture. Le Prâna est la force vitale dans chaque être, et la pensée est l'action la plus haute et la plus raffinée du Prâna.

Lorsque nous respirons, les mouvements des poumons qui font entrer l'air sont l'expression du Prâna. Le Prânâyâma n'est pas la respiration, mais la maîtrise de la force musculaire qui actionne les poumons.

Notre organisme entier peut absorber facilement le Prâna à travers l'air frais dans le processus de la respiration. Il existe trois sortes de respirations : la respiration normale, la respiration profonde et la respiration yoguique contrôlée.

Dans la respiration normale, nous absorbons une quantité normale de Prâna. En respiration profonde notre volume d'absorption augmente, et en respiration yoguique contrôlée nous devenons capables d'emmagasiner une grande réserve de Prâna dans le cerveau et dans les centres nerveux. Ce Prâna peut être utilisé en cas de nécessité, c'est-à-dire lorsque, dans notre vie, surviennent des obstacles inattendus auxquels nous devons faire face. Cette réserve de Prâna nous donne également la force de mieux résister aux maladies contagieuses.

Au contraire, lorsque nous respirons n'importe comment, irrégulièrement ou inconsciemment, la provision de Prâna gravite plus ou moins vers une seule partie de notre corps et, ainsi, l'équilibre du courant prânique étant perturbé, il se produit divers désordres en nous.

La pratique qui comprend le contrôle du Prâna au moyen de la concentration de la pensée et de la respiration régulière s'appelle Prânâyâma. C'est par le Prânâyâma que chaque partie du corps peut être emplie de Prâna. Lorsqu'on est capable de le faire, on devient maître de tout son corps, et l'on peut alors maîtriser la maladie et la souffrance. De plus, on sera même capable d'acquérir cette maîtrise sur le corps d'autrui. Par exemple, dans les pays d'Occident, au moyen de la thérapie mentale, les adeptes de la science chrétienne et de l'hypnotisme tentent de rassembler et de contrôler ce Prâna, mais ils l'appellent une « force » et s'en servent pour guérir les maladies. Ces guérisseurs orientent la force de leur esprit pour éveiller, par la foi, le Prâna endormi du malade, c'est-à-dire qu'ils ont le pouvoir d'amener la force de leur esprit à un certain degré de vibration qui peut se transmettre à autrui, en éveillant chez l'autre des vibrations similaires. C'est donc par le Prâna que s'effectue la guérison réelle. Il est parfaitement vrai qu'il existe des cas de guérison, même à distance. Mais ce processus de guérison n'est pas aussi facile à entreprendre qu'on le croit généralement. Il existe des centaines de fraudes pour un cas authentique.

Selon les anciens textes du Yoga, il existe une affinité profonde entre le Prâna et la force mentale. C'est le Prâna qui fait vivre notre esprit et notre corps. Si nous réussissons à maîtriser le Prâna et à le guider selon notre volonté, alors seulement nous pouvons espérer animer et développer un corps sain et un esprit libéré des maladies. *Le Prâna s'accumule là où notre esprit se concentre.*

La pensée est le maître absolu contrôlant l'énergie prânique. Si nous pouvons nous rendre faibles et malades en créant des pensées fausses et négatives, nous pouvons aussi nous guérir en expulsant les mauvaises pensées et en les remplaçant par des pensées positives. Ainsi, nous pouvons facilement éviter les maux en augmentant et en maintenant notre force vitale par le Prânâyâma.

Le Prânâyâma est donc le facteur essentiel de notre vie. C'est une nécessité fondamentale pour la sauvegarde de notre santé. L'inhalation abondante de Prâna par nos poumons remplit notre corps d'une énergie nouvelle. Elle fortifie le cœur qui pompe le sang et distribue le Prâna dans le courant sanguin jusqu'aux plus petits vaisseaux.

Selon le Yoga Shâstra, le Prâna qui se trouve dans l'air et que nous respirons remplit différentes fonctions dans le corps humain dont chacune porte un nom particulier.

Prâna	— (ici le terme général prend un sens spécifique) circule dans la région du cœur et contrôle la respiration.
Apâna	— circule dans les régions basses de l'abdomen et contrôle les fonctions d'élimination (l'urine et les matières fécales).

Samâna	– stimule les sucs gastriques pour faciliter la digestion.
Udâna	– demeure dans la cage thoracique et contrôle l'absorption de l'air et de la nourriture.
Vyâna	– se répand dans tout le corps et distribue l'énergie provenant de la nourriture et du souffle.
Nâga	– soulage la pression abdominale en provoquant des éructations.
Kurma	– contrôle les mouvements des paupières afin d'empêcher les corps étrangers ou les lumières trop fortes de blesser les yeux.
Krkara	– empêche certaines substances de monter dans les fosses nasales ou de descendre dans la gorge en nous faisant éternuer ou tousser.
Devadatta	– veille à l'absorption d'un supplément d'oxygène dans un corps fatigué et provoque le bâillement.
Dhanamjaya	– reste dans le corps, même après la mort, et quelquefois fait gonfler un cadavre.

En conclusion, une respiration régulière et profonde est absolument indispensable pour assurer la santé du système nerveux, du cerveau et des glandes endocrines.

En raison des conditions artificielles dans lesquelles nous vivons, nous respirons d'une manière irrégulière ou n'importe comment. Notre corps n'absorbe pas suffisamment de Prâna. Tout le système nerveux est endommagé et les glandes endocrines, elles-mêmes, ne fonctionnent plus normalement. Il en résulte que le corps commence à perdre sa force et sa vigueur. L'on se sent en permanence fatigué et déprimé. L'insuffisance de Prâna affaiblit le cœur.

On a remarqué que la condition physique d'une personne dépend beaucoup de la régularité du souffle et que même nos états émotifs et nos passions se reflètent dans notre respiration.

Dans une période de troubles émotifs tels que la crise de dépression, le chagrin, la mélancolie, la respiration devient lente et irrégulière, alors que pendant une crise de colère, d'agitation ou de nervosité la respiration devient superficielle, rapide et désordonnée. Il en résulte que par ces continuelles irrégularités dans le souffle, non seulement nous endommageons notre système nerveux mais nous gênons aussi le bon fonctionnement des glandes endocrines, et notre constitution s'affaiblit. Tandis qu'une respiration correcte, régulière et bien rythmée harmonise notre corps et notre système nerveux. Nous éprouvons immédiatement une sensation de détente et de calme physique et mental.

Nous étudierons en détail les méthodes de respiration au cours du chapitre sur les exercices de Prânâyâma (page 75).

Valeur physiologique
du Prânâyâma

Avant d'entreprendre la pratique des exercices de Prânâyâma, nous allons examiner de quelle façon, et à quel degré, le Prânâyâma est susceptible d'influer sur les principaux systèmes (nerveux, endocrinien, respiratoire, circulatoire et digestif) du corps, et par là même d'assurer leur fonctionnement efficace et harmonieux.

Pourquoi respirons-nous?

Deux processus sont absolument essentiels à l'entretien de la vie : absorber de l'air en inspirant de l'oxygène et le rejeter en expirant du gaz carbonique. Nous devons nous souvenir que le corps humain est constamment au travail, même lorsqu'il paraît se reposer. Tous les systèmes de notre corps, à savoir circulatoire, respiratoire, digestif, endocrinien et nerveux, sont constamment en action. Ce mouvement comporte une usure constante des tissus du corps impliqués dans ce travail. Il faut donc réparer les pertes et éliminer les déchets. Pour réparer ces pertes, il faut apporter une nourriture aux tissus. Cette nourriture ne provient pas seulement des aliments et de la boisson, mais aussi de l'air que nous respirons. L'oxygène est l'élément le plus important de la nourriture. Personne ne peut vivre sans oxygène, ne fût-ce que quelques minutes. Donc, lorsque le sang arrive

70

aux poumons, il emprunte de l'oxygène à l'air respiré et l'apporte aux différentes parties du corps à travers le système circulatoire. Lorsque le sang revient vers les poumons, il est chargé du gaz carbonique récolté dans les tissus. C'est le déchet qui résulte des mécanismes de notre corps. Si on permet à ce gaz de rester en excès dans le corps, il l'empoisonne. Il faut donc s'en débarrasser par l'expiration.

Lorsque le sang veineux absorbe l'oxygène et se débarrasse du gaz carbonique, on dit qu'il est artérialisé. Le sang veineux est d'abord poussé vers le cœur et, ensuite, il est distribué dans les poumons. De là, le sang artériel est renvoyé vers le cœur afin d'être distribué aux différentes parties du corps, et ramené une fois de plus vers le cœur sous forme de sang veineux, et cela inlassablement tant que dure la vie.

Si, dans le sang, la quantité de gaz carbonique présente un taux supérieur à la normale, aussitôt le centre respiratoire devient plus actif, c'est-à-dire que nous respirons plus rapidement. On le voit très clairement, lorsqu'une personne fait un exercice musculaire. Au contraire, le système respiratoire se calme si la quantité de gaz carbonique dans le sang tombe plus bas que son taux normal, et la respiration se ralentit. L'un des facteurs les plus importants est la régulation du souffle.

Nous allons maintenant examiner comment le Prânâyâma peut contribuer au bon fonctionnement des différents systèmes au travail dans notre corps. Nous commencerons par les organes d'élimination : les intestins et les reins qui sont situés dans l'abdomen. Lorsque la respiration est normale, la contraction alternée avec la détente des muscles abdominaux, la montée et la chute alternée du diaphragme mettent en mouvement et massent doucement et sans arrêt les intestins et les reins. Durant les exercices de Prânâyâma, l'inspiration et l'expiration, ainsi que la rétention du souffle, provoquent des mouvements et des massages très accentués. S'il existe une congestion, elle est immédiatement soulagée à cause de la pression exercée. Les nerfs et les muscles qui contrôlent les mouvements intestinaux et rénaux sont fortifiés. Ils bénéficient de l'exercice, non seulement durant l'exécution du Prânâyâma, mais aussi durant le reste de la journée. Ainsi, les intestins et les reins sont assainis par le Prânâyâma et s'acquittent de leurs fonctions d'élimination avec plus d'efficacité.

Il en va de même pour les poumons. La respiration saine dépend des muscles respiratoires et de leur bonne élasticité. Dans les exercices de Prânâyâma les muscles de la poitrine s'étirent au maximum et les poumons s'ouvrent autant qu'il leur est possible. Ainsi, ils sont mieux préparés à bien remplir leur tâche.

En ce qui concerne les organes de la digestion et de l'absorption, les effets des exercices de Prânâyâma ont la même efficacité. L'estomac, le pancréas et le foie, qui jouent un rôle très important dans la digestion, bénéficient tous des exercices de Prânâyâma, à cause du massage qui leur est donné par le diaphragme et les muscles abdominaux. Chez un grand nombre de personnes dyspepsiques ou constipées, le foie se congestionne habituellement et ne fonctionne pas bien. Les exercices de Prânâyâma sont excellents pour soulager ces congestions, stimuler un pancréas paresseux et permettre une amélioration réelle de tous ces troubles gastriques. Ainsi, lorsque le système digestif fonctionne parfaitement bien, le sang s'enrichit des éléments nutritifs dont il a besoin.

Il est essentiel, pour la santé d'un être, qu'il absorbe une certaine quantité d'oxygène pour alimenter le sang. La quantité d'oxygène que le sang peut recevoir va principalement dépendre de l'efficacité du système respiratoire. Une respiration insuffisante réduira l'absorption d'oxygène dans le sang, et les tissus irrigués par un sang déficient en oxygène seront sous-alimentés. D'autre part, absorber une nourriture riche sera sans effet si l'appareil digestif n'est pas en ordre. Les aliments ne seront pas digérés et leur absorption ne sera pas bonne; la matière alimentaire sera gâchée et le sang ne contiendra qu'une faible partie des éléments de cette nutrition. Nous voyons donc que le système respiratoire et le système digestif doivent bien travailler si l'on veut que l'approvisionnement sanguin conserve sa qualité. Mieux qu'aucun autre exercice, le Prânâyâma peut améliorer l'apport d'oxygène dans le sang. Non seulement parce que, durant l'exécution de l'exercice de Prânâyâma, un individu absorbe une grande quantité d'oxygène, mais encore à cause de l'entraînement du système respiratoire qui aide l'individu pendant les vingt-quatre heures qui suivent. Ainsi, l'appareil respiratoire, entraîné par ces exercices, améliore la respiration pendant le reste de la journée et de plus grandes quantités d'oxygène que la normale sont absorbées de là sorte.

Pendant l'exécution des Prânâyâmas Ujjâyî (respiration qui régénère les glandes endocrines, p. 91), Bhastrikâ (le soufflet, p. 94) et Kapalabhâti (respiration qui vivifie le corps, p. 92), des vibrations sont mises en mouvement et se répandent dans presque tous les tissus de l'organisme, les artères, les veines et les vaisseaux capillaires compris. Le cœur, qui est l'organe principal de la circulation, devient plus fort. Tout le système circulatoire est éveillé et se prépare alors à fonctionner efficacement.

La richesse du sang, sa bonne distribution à tous les nerfs et à toutes les glandes assurent également le bon fonctionnement des systèmes nerveux et endocrinien. Durant l'exécution des exercices de Prânâyâma, particulièrement durant le Bhastrikâ (le soufflet, p. 94), la circulation du sang devient très rapide et la qualité du sang est rendue très riche. Cet apport d'un sang meilleur alimente les glandes endrocrines et assure leur bon fonctionnement. Il parvient également aux nerfs cervicaux, au réseau nerveux qui touche la colonne vertébrale, et au grand sympathique. Pendant le Pûraka (inspiration), le diaphragme se trouve contracté et abaissé et les muscles abdominaux sont contrôlés, c'est-à-dire légèrement contractés. L'action conjuguée du diaphragme et des muscles abdominaux fait remonter la partie inférieure de l'épine dorsale. Durant l'exécution du Jalandhara-Bandha (mouvement de la tête, du cou et de la nuque, p. 157), la partie supérieure de l'épine dorsale est également relevée. Cette remontée de la colonne vertébrale dans son ensemble agit sur le grand sympathique et les racines des nerfs dorsaux.

Dans certains textes hindous sur le Yoga, le système nerveux de notre corps est comparé à une grande centrale qui produit de l'électricité et à un réseau de fils qui la distribue à différentes machines dans l'usine. Le cerveau, la moelle épinière et les nerfs du sympathique représentent la centrale. Les nerfs qui partent du cerveau ou de l'épine dorsale représentent les fils électriques dans l'usine qu'est le corps. Tous nos mouvements physiques dépendent des impulsions transmises par les nerfs du cerveau aux muscles. Si la centrale se trouve déréglée, ou s'il existe une obstruction dans le passage du courant électrique qui suit les fils, toute la machinerie va s'arrêter. Pareillement, si le cerveau ou les nerfs sont endommagés, ou si ceux-ci sont tellement dégénérés qu'ils ne transmettent plus ces impulsions, les mouvements physiques s'arrêtent. Notre digestion, notre circulation sanguine, et même notre respiration sont contrôlées à partir du cerveau et des nerfs, par les impulsions nerveuses acheminées vers les organes responsables de ces fonctions.

Dans le corps humain, la force du courant dépend de la sécrétion
des glandes endocrines. Tout le mécanisme nerveux peut se trouver
en parfait état, et pourtant, si les sécrétions endocriniennes ne sont
pas disponibles en quantité utile, ou ne sont pas de la qualité requise,
la force des impulsions nerveuses et les nerfs eux-mêmes vont dégénérer. En conséquence, les mouvements physiques vont diminuer, le
corps va s'engourdir. On peut en déduire que les systèmes nerveux
et endocrinien qui sont essentiels dans la physiologie humaine, ainsi
que les systèmes respiratoire, circulatoire et digestif, sur lesquels
repose la santé des deux premiers systèmes, sont tous ensemble mis
en exercice par le Prânâyâma; de ce fait, l'organisme est plus sain
et plein de vitalité. Tous les grands Yogis de l'Inde ancienne considéraient le Prânâyâma comme l'exercice essentiel à l'entretien du processus de la vie et à son équilibre parfait.

La pratique
du Prânâyâma

Je prie instamment mes lecteurs d'aborder la pratique des exercices de Prânâyâma avec prudence et sous le contrôle d'un maître compétent. *On doit pratiquer le Prânâyâma en étant détendu. Aucun exercice bien fait, à quelque moment que ce soit, ne requiert des mouvements brusques, des inspirations ou des expirations violentes et ne provoque une sensation d'étouffement quelconque.* Le Prâna doit être maîtrisé très lentement et graduellement, selon notre capacité et nos limites physiques. Les fosses nasales, les membranes, le gosier, les poumons, le cœur, les nerfs et le diaphragme sont les parties du corps qui sont activement engagées. Par conséquent il ne faut jamais pratiquer le Prânâyâma en hâte, ce serait jouer avec la vie même. Toute hypertension ou pratique imparfaite risque de nuire particulièrement aux nerfs, au cœur et aux poumons.

Par contre, si l'on pratique correctement le Prânâyâma, on se trouve libéré de la plupart des maladies. Une parfaite santé et la paix de l'esprit nous sont assurées.

L'air pollué par les vapeurs d'essence, le manque d'ensoleillement dû à l'épaisse couche de fumée qui stagne au-dessus des villes sont à l'origine de la déficience que l'on éprouve en général. A cause des changements de température et de climat qui affectent notre corps, il est normal qu'à la fin de chaque saison notre organisme n'en puisse plus. L'on se sent particulièrement fatigué, épuisé par l'intoxication qui se forme à chaque effort physique ou intellectuel, si la pression atmosphérique est très basse ou si l'on doit subir de brusques écarts de température; on a l'impression de manquer d'air, et l'énergie vitale baisse, surtout lorsque le temps est lourd.

Comment combattre cette intoxication générale paralysant nos muscles et nos nerfs et éliminer le gaz carbonique qui se forme dans notre sang à la suite d'un effort quelconque? Tous les exercices de Prânâyâma nous indiquent ce qu'il faut faire, tout d'abord pour nettoyer notre corps entièrement et pour, ensuite, le recharger avec l'oxygène réparateur qui stimule notre circulation sanguine.

Bien sûr, il serait idéal d'aller s'oxygéner de temps en temps loin des villes. Il est également recommandé d'effectuer les exercices respiratoires dans une pièce bien aérée préalablement ou devant une fenêtre grande ouverte, en évitant les courants d'air et en étant bien couvert si la température est froide.

La meilleure position pour pratiquer le Prânâyâma est celle du lotus. Si pour une raison quelconque, il nous est difficile de prendre cette posture, on peut s'asseoir en tailleur ou éventuellement sur les talons. L'essentiel est de garder le dos, le cou et la tête en une seule ligne droite à partir de la base de la colonne vertébrale sans en ressentir la moindre fatigue. Il y a aussi quelques exercices de Prânâyâma qui peuvent être exécutés debout ou allongé sur le dos.

Pour pratiquer correctement le Prânâyâma il faut, avant tout, *être maître de son rythme*. Il est donc essentiel de respirer régulièrement et selon le rythme indiqué.

Les Yogis mesurent le temps en comptant les battements de leur pouls. On peut aussi se servir d'une montre.

Comment respirer
correctement

« Le souffle c'est la vie. »
VÉDAS

Respirer c'est vivre. La vie dépend entièrement du souffle. Tous les êtres vivants, y compris les plantes, dépendent de l'air pour exister. De la première inspiration de l'enfant jusqu'au dernier soupir du mourant, ce n'est que l'histoire du souffle ininterrompu. « La vie n'est qu'une série de respirations » dit un proverbe hindou.

On peut survivre sans manger pendant quelques jours, sans boire pendant quelques heures, mais combien de minutes peut-on vivre sans respirer? L'homme ne doit pas seulement respirer pour vivre, mais il doit le faire d'une manière convenable pour garder une vitalité constante et éviter les maladies. Malheureusement, le nombre d'individus qui savent respirer correctement est très petit. La plupart des gens respirent n'importe comment. On le voit aux poitrines étriquées, aux épaules remontées et au développement des maladies des voies respiratoires. On a pu constater qu'une manière de respirer inadéquate diminue la résistance et abrège la vie.

Certains, consciemment ou non, ont une respiration soit claviculaire soit thoracique, soit diaphragmatique. Ces modes de respiration sont incomplets, et une partie des poumons seulement s'emplit d'air. Toutes les recherches faites en Inde par les Instituts de Yoga ont permis de constater que ces manières de respirer sont insuffisantes pour assurer à l'homme un développement homogène, tant sur le plan physique que mental et spirituel.

Les Yogis affirment qu'il faut combiner ces trois respirations (diaphragmatique ou abdominale, thoracique ou médiane, claviculaire ou supérieure) en les ajoutant l'une à l'autre, en sorte qu'elles forment une seule respiration complète comparable au mouvement d'une vague. Cette respiration est connue sous le nom de respiration yoguique complète. Elle permet le remplissage total des poumons; elle est de la plus haute valeur pour l'homme, car elle lui donne la possibilité d'absorber un maximum d'oxygène et d'emmagasiner une grande quantité de Prâna. De plus, les Yogis estiment qu'une respiration de cette sorte assure non seulement la longévité en donnant une vitalité sans défaillance et une grande force de résistance, mais qu'elle est aussi un facteur absolument nécessaire au développement psychique et spirituel.

Les Yogis insistent sur le fait que la respiration yoguique complète est la base de tous les exercices de respiration (Prânâyâma).

La respiration yoguique complète se compose de trois parties :

1) abdominale;
2) médiane ou thoracique;
3) supérieure ou claviculaire.

Tout d'abord nous allons étudier ces trois respirations séparément.

Remarque importante

C'est toujours par le nez que nous devons inspirer ou expirer, car le petit écran de poils qui se trouve dans le nez, non seulement filtre l'air, mais empêche aussi les impuretés telles que la poussière, les gaz nocifs, les insectes minuscules, etc., de pénétrer dans notre organisme.

Il existe un dicton hindou : « Le nez est fait pour respirer, la bouche pour manger et pour parler chaque fois que cela est nécessaire. »

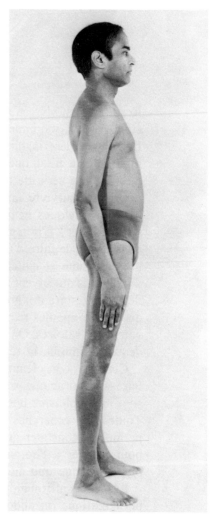

78

Respiration abdominale

(debout, assis ou allongé sur le dos)

Le plus simple est de poser les deux mains légèrement sur l'abdomen de manière à en sentir les mouvements. Lorsqu'on inspire, il faut permettre à l'abdomen de ressortir un peu, comme un arc, en remplissant d'air la partie inférieure du poumon. Durant l'expiration, on fait rentrer l'abdomen. On doit inspirer et expirer de cette manière plusieurs fois.

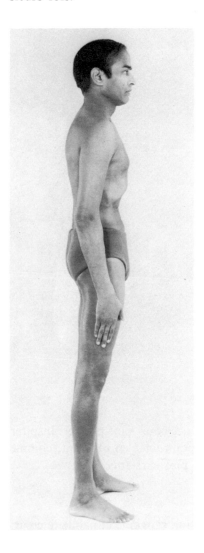

Bénéfices thérapeutiques

C'est un magnifique massage interne pour tous les organes de l'abdomen. Il régularise les fonctions intestinales et stimule la digestion.

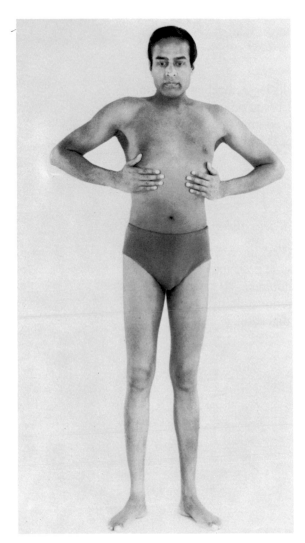 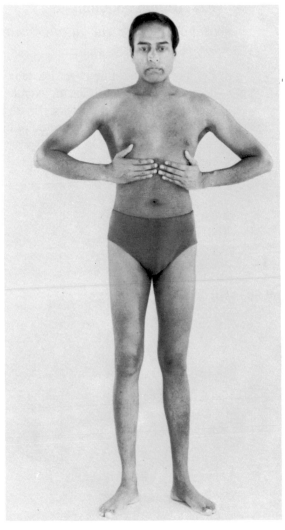

Respiration thoracique
(debout, assis ou allongé sur le dos)

Poser les deux mains de chaque côté des côtes sans presser. Inspirer lentement en gonflant les côtes, les contracter en expirant, comme un mouvement d'accordéon; répéter plusieurs fois.

Bénéfices thérapeutiques

Purifie le sang, améliore la circulation sanguine et calme le cœur.

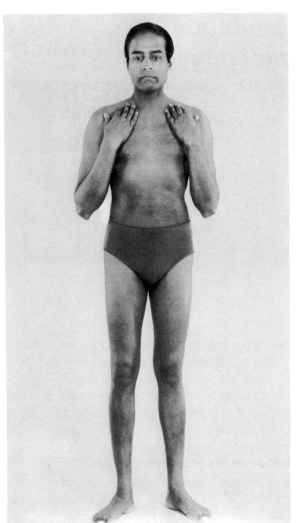 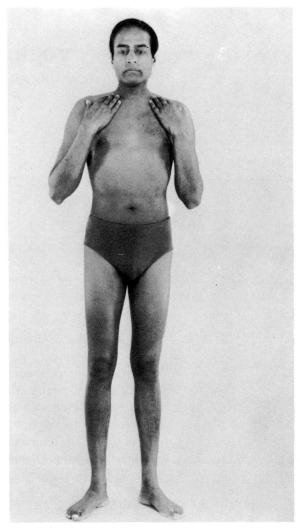

Respiration claviculaire
(debout, assis ou allongé sur le dos)

Poser les mains sur les clavicules en les touchant du bout des doigts. Rentrer légèrement la paroi abdominale. Inspirer lentement en faisant remonter les clavicules. Ensuite, commencer à expirer en abaissant les clavicules. Il faut aussi répéter l'exercice plusieurs fois.

Bénéfices thérapeutiques

Fortifie et nettoie à fond la partie supérieure de la poitrine.

81

La respiration
yoguique complète
(debout, assis ou allongé sur le dos)

Après avoir bien expiré, on commence par remplir d'air la partie inférieure des poumons, en abaissant le diaphragme et en poussant légèrement la paroi abdominale en avant. Ensuite, on remplit la partie médiane des poumons, en écartant les côtes, puis la partie supérieure en soulevant les clavicules. Il est normal qu'à ce moment l'abdomen rentre légèrement. Cette inspiration (Pûraka) doit être poursuivie en un mouvement continu et ondulatoire.

Pour l'expiration (Rechaka), on commence par rentrer l'abdomen, puis on contracte les côtes et ensuite on abaisse les clavicules en vidant complètement les poumons.

Au début, on trouve qu'il est assez difficile de respirer avec ce mouvement doux et continu semblable à celui d'une vague. Lorsque l'habitude est acquise, ce mode de respiration se fera presque automatiquement. Avec un peu de patience et de persévérance, on arrive au résultat désiré.

Bénéfices thérapeutiques

Les bienfaits thérapeutiques de la respiration yoguique complète sont si nombreux qu'il faudrait presque les traiter dans un ouvrage séparé. La respiration yoguique complète est d'une importance vitale pour tous ceux, hommes, femmes, enfants, qui souhaitent avoir une bonne santé.

On doit se rappeler que l'exercice des muscles externes n'est pas tout. Les organes internes ont aussi besoin d'exercice et c'est pourquoi la nature a prévu la respiration complète.

On peut prendre comme exemple le rôle du diaphragme qui, à chaque mouvement respiratoire, fait vibrer les organes de la nutrition et de l'élimination, et leur donne une sorte de massage, apportant et chassant à chaque mouvement une masse de sang qui tonifie les organes. Si ces organes ne sont pas tonifiés de cette manière, ils s'atrophient et refusent de fonctionner normalement : la carence des mouvements diaphragmatiques est à l'origine de nombreuses maladies.

La respiration yoguique complète met en jeu tout l'appareil respiratoire, préserve des affections pulmonaires en général et a une grande importance pour prévenir certaines maladies telles que l'asthme et les affections du cœur.

La respiration yoguique complète peut être d'un grand secours pour maintenir l'individu en parfait état. Par exemple, elle peut recharger le corps, lorsqu'il est complètement épuisé, et aussi calmer l'esprit et le système nerveux dans leur intégralité.

De même, la plupart des exercices de respiration yoguique ont pour but l'accumulation du Prâna (l'énergie vitale), car c'est le Prâna qui maintient le corps dans son unité. On peut non seulement augmenter la quantité de Prâna absorbé par des inspirations profondes et régulières, mais aussi, par les expirations, on peut le diriger consciemment vers toutes les parties du corps pour l'animer; on améliore ainsi grandement l'oxygénation du courant sanguin. Chaque organe vital, les glandes endocrines, les centres nerveux et les tissus du corps en sont mieux nourris.

A l'Institut de recherche yoguique de Lonavla, on a obtenu des résultats extraordinaires, particulièrement en ce qui concerne les troubles cardiaques et les tensions artérielles élevées.

En absorbant abondamment le Prâna, on calme tout le système nerveux. Les mouvements du cœur se régularisent, les poumons s'aèrent à fond. Nous sommes emplis d'une sensation de paix mentale et physique.

La respiration
rythmée

Ce Prânâyâma n'est ni difficile ni dangereux et tout le monde peut le pratiquer.

La respiration rythmée se présente sous deux variantes :
– au cours de la première, le temps d'inspiration correspond exactement à celui de l'expiration;
– dans la seconde, la durée de l'inspiration est la même que celle de l'expiration, mais il y a une pause entre ces deux phases de la respiration égale à la moitié du temps consacré à chacune d'elles.

Dans cette respiration l'important est de se concentrer d'abord mentalement pour s'habituer au rythme.

En Inde, les Yogis fixent leur rythme de respiration d'après les pulsations de leur cœur*. Celles-ci diffèrent selon les individus ; l'essentiel est d'adapter sa respiration à son propre rythme, mais il ne faut le faire qu'après un moment de détente. Pour s'assurer des battements de son cœur, il convient de prendre son pouls en comptant 1, 2, 3, 4, 5, 6 et de répéter ce calcul jusqu'au moment où le rythme est fixé dans l'esprit.

Par la pratique de ce mode de respiration, on peut arriver à contrôler les nerfs de manière à éviter toute agitation.

Technique

Dans la première variante de la respiration, s'asseoir les jambes croisées en maintenant la poitrine, le cou et la tête dans une ligne verticale sans crispation, les mains sur les genoux (les personnes ayant

_____
* De nos jours on se sert généralement d'une montre.

des difficultés à s'asseoir les jambes croisées peuvent pratiquer cet exercice allongées sur le dos). Faire une inspiration yoguique complète en comptant mentalement 6 pulsations et puis exhaler lentement par les narines en recomptant jusqu'à 6. Répéter cet exercice plusieurs fois.

Dans la deuxième variante, la posture est la même, mais après avoir inspiré en comptant 1, 2, 3, 4, 5, 6, il faut retenir son souffle en comptant 1, 2, 3 avant d'exhaler en recomptant 1, 2, 3, 4, 5, 6. Rester sans respirer en comptant 1, 2, 3. Ensuite recommencer en inspirant...

Il est indispensable de suivre les conseils du maître quant au nombre et à la durée des exercices à faire.

Le débutant doit surtout veiller à acquérir une respiration rythmique sans essayer de prolonger la durée de l'inspiration et de l'expiration. Ce n'est qu'après une longue pratique qu'il pourra, au lieu de 6 pulsations, en compter jusqu'à 16.

Par la pratique de cette respiration on arrive finalement à communiquer des vibrations rythmiques apaisantes à tout son corps.

Quand la respiration rythmée devient presque automatique, nous devons penser qu'à chaque inspiration nous nous remplissons de calme, et qu'à chaque expiration nous transmettons ce calme à la moindre fibre de notre corps, comme un courant qui traverse chacune de nos cellules. Il faut absorber consciemment ce flot de calme à chaque respiration. Nous découvrirons que tout le corps adopte un rythme harmonieux; car la respiration rythmée incite toutes les molécules du corps à se mouvoir dans une même direction.

Bénéfices thérapeutiques

Le corps le plus épuisé se régénère, les nerfs les plus éprouvés se calment. Nous connaîtrons le vrai repos, encore meilleur que celui du sommeil, car il s'acquiert consciemment. Nous aurons une expression de détente sur notre visage, nos rides s'estomperont, nos traits s'adouciront. Nous dormirons mieux et une vie nouvelle rechargera notre corps.

La respiration rythmée apporte la santé du corps et de l'esprit. Elle facilite une plus grande oxygénation, remédie au vieillissement des muscles, aide à rétablir l'équilibre du système nerveux et du système neuro-végétatif et chasse l'angoisse en agissant sur le sympathique et le thalamus (l'organe à la base du cerveau).

Kumbhaka
(Rétention du souffle)

Il existe l'Antar Kumbhaka (rétention du souffle poumons pleins) et le Bahya Kumbhaka (rétention poumons vides). Il est question ici de rétention poumons pleins.

Précautions

Pendant la rétention du souffle, on ne doit ressentir aucune sensation d'étouffement, et, après avoir terminé l'exercice, on doit être capable de respirer normalement sans le moindre effort. En général, une personne moyenne* ne doit pas retenir son souffle pendant plus de trente-deux secondes, à moins de faire l'exercice sous la surveillance d'un expert en Yoga. Quiconque souffre du cœur ou a les poumons malades doit s'abstenir de pratiquer cet exercice.

Technique

Assis en position du lotus ou en tailleur, faire une inspiration yoguique complète, puis retenir le souffle de six à trente-deux secondes, en ajoutant une seconde chaque jour, jusqu'à ce que la limite maximum de trente-deux secondes soit atteinte. Ensuite, expirer lentement en suivant le même rythme (ou le double) qu'à l'inspiration.

Bénéfices thérapeutiques

Selon l'expérience yoguique, la rétention du souffle pendant une durée plus ou moins longue, à la mesure de la capacité de l'individu, opère sur l'organisme des effets bénéfiques des plus surprenants. La pratique de la respiration, avec rétention du souffle, permet d'emmagasiner de grandes quantités d'oxygène et de Prâna. Elle agit efficacement sur les organes de la respiration, de la digestion, de la circulation et sur le système nerveux.

La maîtrise de la respiration nous permet, d'une part, d'absorber davantage d'oxygène et de Prâna, et d'autre part, en rétablissant l'équilibre entre les énergies positives et négatives, d'harmoniser parfaitement notre état mental et physique.

Grâce à une pratique régulière de la respiration yoguique complète avec rétention du souffle, non seulement on prévient les troubles des poumons, du foie, de la vésicule biliaire, de l'estomac et du cœur, mais on préserve sa santé et sa force vitale ; de ce fait on développe également sa force de volonté.

* NOTE IMPORTANTE : Les rétentions du souffle sont bénéfiques à condition de suivre strictement certaines règles :

1. A partir d'une durée de 6 secondes, il faut les pratiquer avec Jalandhara Bandha. (Menton appuyé dans le creux au-dessus du sternum. Voir p. 157.) Ceci pour éviter des vertiges, une pression sur le cœur et le globe occulaire.

2. Avant de commencer, progressivement, avec les rétentions du souffle, il faut purifier et fortifier les poumons en pratiquant régulièrement certains exercices respiratoires.

3. Les débutants et les personnes ayant une tension trop élevée ou trop basse ne doivent pas faire des rétentions du souffle.

Anuloma Viloma
ou
Nâdi Sodhana
Prânâyâma
(Respiration alternée)

En sanscrit, Nâdi signifie un conduit qui permet le passage de l'énergie vitale ou Prâna. Selon les expériences yoguiques l'inspiration par la narine droite produit de la chaleur dans le corps, et par la narine gauche du froid. C'est pourquoi les Yogis appellent la narine droite Surya Nâdi (narine du soleil), et la gauche Chandra Nâdi (narine de la lune).

Précautions à prendre

Il faut exécuter ce Prânâyâma avec beaucoup de soin et ne pas répéter le cycle complet plus de trois fois au début.

Les débutants, les personnes qui souffrent de troubles cardiaques ou d'hypertension, ou dont les poumons sont faibles, ne doivent jamais exécuter cet exercice avec rétention du souffle (Kumbhaka).

Technique

Assis en Padmâsana ou en tailleur, nous plaçons l'index de la main droite au centre du front entre les sourcils. Il faut d'abord exhaler complètement, ensuite fermer la narine droite avec le pouce et inspirer par la narine gauche en comptant quatre battements de pouls, retenir le souffle pendant seize battements (en pratiquant le Jaland-hara-Bandha, voir p. 157), puis relâcher la narine droite en fermant

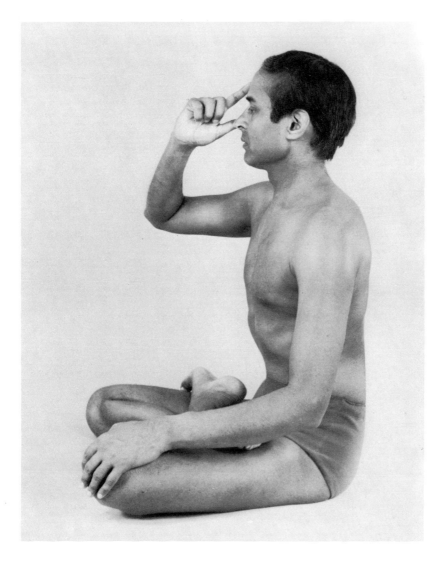

la gauche avec le médius, et expirer par la narine droite en comptant huit battements. Ensuite, les doigts restant dans la même position, inspirer par la narine droite en comptant quatre battements, puis retenir le souffle pendant seize battements et expirer par la narine gauche en comptant jusqu'à huit. Cela forme un cycle complet.

Il est toujours préférable de maintenir au début, dans cet exercice de respiration comprenant l'inspiration, la rétention et l'expiration le rythme suivant : 1 : 2 : 2. Après une longue pratique (2 ou 3 mois minimum) on peut passer à 1 : 4 : 2.

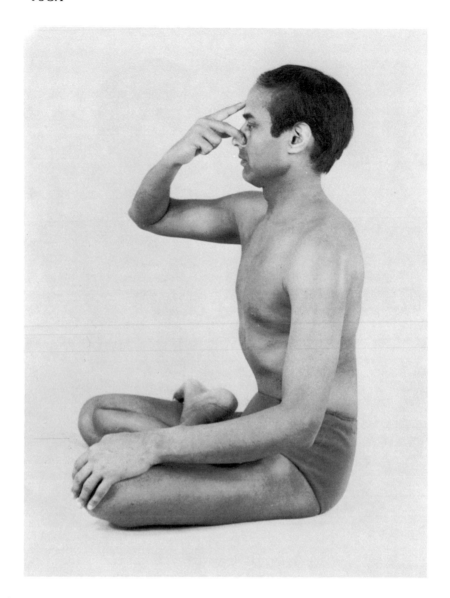

Bénéfices thérapeutiques

C'est un des plus importants Prânâyâma pour équilibrer les courants positif et négatif qui vivifient notre corps. Il calme et purifie les nerfs, aide à stabiliser l'esprit et accroît les facultés mentales. Il permet de guérir certains maux de tête chroniques.

Ujjâyî
(Prânâyâma qui renouvelle l'énergie)

La particularité de ce Prânâyâma est de fermer partiellement la glotte, ce qui permet la production d'un son sourd et continu pendant tout l'exercice respiratoire.

Précautions à prendre

Il faut prendre la précaution de ne contracter ni les muscles faciaux ni le nez.

Cet exercice se pratique souvent sans rétention du souffle. Le temps de l'expiration est le double de celui de l'inspiration, c'est-à-dire 1 : 2. Lorsque l'Ujjâyî est pratiqué avec rétention du souffle, le rythme est de 1 : 2 : 2 (par exemple : inhalation 4 secondes, rétention 8 secondes et exhalation 8 secondes), ou de 1 : 4 : 2.

Technique

S'asseoir en Padmâsana, ou en Siddhâsana ou en tailleur (cet exercice peut aussi être fait debout). Après avoir exhalé complètement l'air contenu dans les poumons, il faut fermer partiellement la glotte et inspirer par les deux narines, en dilatant la cage thoracique. On doit maintenir les muscles abdominaux sous contrôle et les contracter légèrement pendant toute l'inhalation. Ensuite, il faut expirer, toujours en conservant la fermeture partielle de la glotte et en contractant de plus en plus les muscles abdominaux, jusqu'à ce que les poumons soient complètement vidés et la cage thoracique rentrée.

Trois cycles de cet exercice suffisent au début; par la suite on peut en ajouter deux par semaine afin d'arriver jusqu'à 15 (sans rétention du souffle).

En pratiquant cet Ujjâyî dans un but d'amélioration de l'état physique, on doit se concentrer, à chaque inhalation, sur le souffle revitaliseur et à chaque exhalation sur l'absorption d'énergie.

Si on le pratique dans un but d'avancement spirituel, on doit imaginer qu'à chaque respiration un courant divin traverse le corps.

Bénéfices thérapeutiques

Grâce à cet exercice on peut éviter les troubles digestifs et pulmonaires, comme par exemple l'indigestion, la toux, etc. Une pratique quotidienne de cet Ujjâyî a une valeur préventive ou curative. En accroissant la vitalité, il renforce le système nerveux, la circulation.

La tension basse s'élève et redevient normale. Les glandes endocrines, particulièrement la thyroïde, sont fortement stimulées.

Cet exercice, pratiqué sous contrôle, est idéal pour les personnes qui souffrent d'hypertension ou de troubles coronaires.

Kapâlabhati
(Respiration qui vivifie le corps)

En sanscrit, Kapâla signifie : crâne, et Bhati : briller. C'est un des six exercices de purification connus du Hatha-Yoga. Il a pour but de nettoyer les conduits du nez ainsi que les autres parties du système respiratoire et de permettre ainsi le dégagement du cerveau.

Précautions à prendre

Un homme jouissant d'une bonne santé peut faire cet exercice, mais quiconque souffre d'une maladie pulmonaire ou cardiaque ne doit l'entreprendre que sous la conduite d'un maître de Yoga expérimenté. De toute manière, on doit s'arrêter au moindre signe de fatigue.

Technique

Le Kapâlabhati est un exercice respiratoire de l'abdomen ou du diaphragme (assis en posture de lotus ou simplement en tailleur, les mains sur les genoux).

Dans les autres exercices on insiste sur : l'inhalation, la rétention et l'exhalation; mais dans le Kapâlabhati l'accent est mis uniquement sur l'expiration. C'est le seul exercice ne demandant pas de respiration profonde.

La cage thoracique ne bouge pas et seuls le diaphragme et les muscles abdominaux sont en mouvement.

L'air qui remplit la cage thoracique est expulsé, sans pause, par saccades continues et rapides.

On doit débuter par 5 ou 7 expirations, mais on peut en augmenter le nombre par la suite, selon sa capacité.

Bénéfices thérapeutiques

Cet exercice permet d'éliminer une grande partie des toxines contenues dans notre corps en oxygénant le sang et en purifiant les tissus et les nerfs.

Cette respiration nettoie les fosses nasales et les poumons. Elle est un remède aux déficiences du système lymphatique et pour ceux qui ont des mucosités dans le nez et la gorge. Cet exercice respiratoire aide à soulager l'asthme et tonifie le corps. Il fortifie les glandes salivaires et expulse les bactéries qui ont pénétré dans le nez. Le plexus solaire est rechargé d'énergie vitale et les systèmes circulatoire et digestif fonctionnent mieux. Cet exercice permet de développer le pouvoir de concentration.

Bhastrika

(Le soufflet du forgeron)

En sanscrit, Bhastrika signifie : soufflet. Cet exercice est caractérisé par de continuelles et incessantes expirations du souffle produisant le bruit du soufflet du forgeron.

Cet exercice n'est en réalité qu'une combinaison de Kapâlabhati et de Ujjâyî. On commence par le Kapâlabhati et on finit par le Ujjâyî avec rétention du souffle.

Précautions à prendre

Il faut pratiquer ce genre de Prânâyâma avec prudence et s'arrêter au moindre signe de fatigue. L'exagération peut épuiser très vite le corps. Une personne de constitution fragile ou souffrant d'hypotension ou d'hypertension ne doit pas tenter ce genre d'exercice.

Technique

Il faut s'asseoir en position de lotus ou en tailleur. L'air est expiré par saccades rapides et continues par le nez. Après un certain nombre d'expirations (selon la capacité personnelle), on doit faire une inspiration profonde en fermant partiellement la glotte. Ensuite l'air inspiré est retenu par la fermeture complète de la glotte. On doit en même temps se boucher les narines avec le pouce, l'annulaire et l'auriculaire de la main droite, en baissant la tête et en appuyant fermement le menton dans le creux au-dessus du sternum (Jalandhara Bandha). Ensuite il faut expirer, en rouvrant partiellement la glotte. Le rythme est : 1 : 2 : 2. Ce qui donne un exercice complet de Bhastrika.

On doit commencer par 2 cycles en augmentant progressivement d'après les conseils du maître.

Variante : la deuxième partie de cet exercice peut être faite aussi sans fermeture partielle de la glotte.

94

Bénéfices thérapeutiques

Ce Prânâyâma diffuse la chaleur dans le corps et a un effet purifiant. Il régénère le foie, la rate, le pancréas et fortifie les muscles abdominaux. La digestion s'améliore et on éprouve une sensation générale de bien-être.

Surya Bhedana
(Respiration qui revitalise le système nerveux)

Surya veut dire « soleil », et Bhedana « s'ouvrir ou s'épanouir ». Dans ce Prânâyâma, les inhalations se font par la narine droite et les exhalations par la narine gauche.

Précautions à prendre

Les personnes qui souffrent d'hypertension ou de troubles cardiaques, ou qui ont les poumons faibles, ne doivent pas retenir leur souffle. Par contre si ce Prânâyâma avec rétention du souffle est pratiqué sous la direction d'un maître compétent, les personnes souffrant d'hypotension en tireront le maximum de bénéfice.

Technique

Assis en Padmâsana ou en Siddhâsana, ou en tailleur, les jambes croisées, nous inspirons lentement par la narine droite et retenons le souffle jusqu'à ce que nous sentions une pression sur toute la surface du corps.

Il faut faire remarquer ici que, pour commencer, la rétention du souffle doit être développée petit à petit selon notre capacité. La hâte et l'impatience dans ce domaine risquent d'abîmer les poumons et même de provoquer quelque maladie incurable. Après avoir contenu notre souffle, à la mesure de nos capacités, nous expirons par la narine gauche, en allant beaucoup plus lentement qu'à l'inspiration. Le rythme des inspirations, rétentions et expirations doit être le suivant : 1 : 2 : 2 au début. Ce n'est qu'après une longue pratique qu'on peut adopter le rythme : 1 : 4 : 2. Au commencement cet exercice ne doit être répété que 5 fois pour arriver finalement à 7.

Bénéfices thérapeutiques

Ce Prânâyâma équilibre la température du corps et contrôle les fonctions du catabolisme. La puissance de digestion se trouve accrue et tout le système nerveux reprend de la force. Les sinus sont également nettoyés.

Sitali
(Respiration qui rafraîchit)

Le nom de ce Prânâyâma découle de son effet rafraîchissant sur le corps. Ce résultat vient du fait que l'air est aspiré par la bouche et non par le nez.

Précautions à prendre

Les personnes qui souffrent d'hypertension doivent omettre la rétention du souffle. Celles qui ont des troubles d'origine cardiaque doivent s'abstenir d'exécuter ce Prânâyâma.

Technique

Assis en Padmâsana ou en Siddhâsana ou simplement les jambes croisées, nous tirons la langue d'environ deux centimètres en dehors des lèvres. La langue va prendre la forme d'une feuille fraîche roulée, sur le point de s'ouvrir. Elle est alors pliée en longueur, à la fois à l'intérieur de la bouche et à l'extérieur. Ensuite, nous inspirons en faisant passer l'air à travers ce canal qu'est devenue la langue avec un son sybillin comme « SSSSSSS » jusqu'à ce que les poumons soient complètement remplis. Losque l'inhalation est terminée, nous rentrons la langue, fermons les lèvres et retenons le souffle pendant quelques secondes, puis nous expirons lentement par le nez. Cela fait un cycle complet. Répéter cet exercice deux ou trois fois et se relaxer complètement. Augmenter graduellement le nombre de cycles.

Bénéfices thérapeutiques

Ce Prânâyâma rafraîchit et tonifie le corps. Il active le foie et la bile et a un effet bienfaisant sur la circulation et la température du corps humain. Ne pas pratiquer cet exercice en hiver.

Pavana Muktâsana
(Comment se libérer des gaz contenus dans le corps)

En sanscrit Pavana signifie « vent » et Mukta « se débarrasser de ».

Cette posture permet de libérer le corps des gaz qui y sont contenus.

Technique

Allongé sur le dos, les jambes repliées contre la poitrine. Entourer les genoux des deux bras. Inspirer profondément (comme en respiration yoguique complète), puis expirer lentement et à fond par les deux narines en pressant étroitement les genoux contre l'abdomen. Au moment de l'inspiration, relâcher la tension des bras. Répéter cet exercice plusieurs fois.

Bénéfices thérapeutiques

Tous les gaz qui tendent à s'accumuler dans l'organisme sont éliminés.

La respiration
qui purifie

Précautions à prendre

Les personnes qui souffrent de troubles cardiaques ou d'hypertension, ou qui ont des poumons fragiles doivent éviter cet exercice.

Technique

Debout, jambes légèrement écartées, nous inspirons lentement et profondément par le nez comme en respiration yoguique complète. Après avoir retenu notre souffle pendant quelques secondes, nous pressons les lèvres contre les dents, tout en conservant une petite ouverture étroite. A travers cette fente, nous forçons l'air à sortir au moyen d'un certain nombre de petits mouvements saccadés jusqu'à ce que les poumons soient complètement vidés. Il ne faut pas oublier que nous devons fournir un gros effort pour forcer l'air à passer par la petite ouverture entre les lèvres, sinon ce Prânâyâma n'a aucun effet bénéfique. On peut répéter l'exercice plusieurs fois selon sa capacité mais sans fatiguer les poumons.

La respiration qui fortifie les nerfs

Technique

Debout, les pieds légèrement écartés, après avoir expiré, inspirer lentement comme dans la respiration yoguique complète. Lever lentement les deux bras tendus à l'horizontale, paumes ouvertes tournées vers le haut, jusqu'à la hauteur des épaules. Garder le souffle, fermer les mains et serrer les poings tout en contractant les muscles des bras. Ramener brusquement les poings vers soi, puis les repousser lentement en avant, avec effort, en maintenant une grande contraction des bras. Après étirement complet des bras, ramener les poings vers soi rapidement et les repousser en avant lentement comme la première fois. Répéter ce mouvement à plusieurs reprises, sans pour cela aller jusqu'à la fatigue. Ensuite, expirer par le nez et détendre complètement les bras en se penchant en avant, les laisser pendre tout à fait décontractés.

Bénéfices thérapeutiques

Cet exercice est considéré comme l'un des plus puissants stimulants nerveux. Il développe l'énergie et la vitalité, car il provoque la distribution d'une grande quantité de Prâna dans tout le corps. Il augmente les facultés mentales et donne confiance en soi.

Remarque

Cet exercice est à déconseiller aux personnes ayant les poumons faibles ou le cœur fragile.

Le souffle
qui purifie
les voies
respiratoires

Technique

Debout, les jambes écartées, inspirer lentement, comme en respiration yoguique complète, tout en levant les bras verticalement. Après avoir retenu son souffle quelques secondes, se pencher rapidement en avant, en laissant pendre les bras et en expirant vigoureusement par la bouche. Ainsi se produit le son « HHHHH... » qui provient de l'air que nous chassons subitement des poumons. Se redresser ensuite lentement, en levant les bras au-dessus de la tête et en inspirant profondément par le nez. Puis expirer, toujours par le nez, en abaissant les bras et se détendre complètement.

Bénéfices thérapeutiques

Cet exercice active la circulation du sang, nettoie à fond les poumons et donne une sensation de chaleur dans le corps.

Effet psychique

Il nous permet de conserver la santé de l'esprit et de résister aux influences extérieures. Il dissipe les sentiments de dépression.

Variation

Technique

Allongé sur le dos, nous inspirons lentement et profondément comme en respiration yoguique complète, en étendant nos deux bras derrière la tête. Nous retenons notre souffle quelques secondes et puis, brusquement, nous plions les genoux et pressons les cuisses contre l'abdomen en serrant les bras autour des genoux. En même temps, nous expirons par la bouche. Après quelques instants, nous inspirons lentement et profondément par le nez en remontant les bras derrière la tête et en étendant les jambes à nouveau au sol. Ensuite nous baissons les bras en expirant l'air de nos poumons par le nez. Nous pouvons répéter cet exercice trois ou quatre fois, puis nous relaxer complètement.

Bénéfices thérapeutiques

Les mêmes que pour la respiration debout.

Comment revitaliser l'ensemble du corps

Technique

Allongé sur le dos, position dans laquelle nous nous sentons tout à fait à l'aise et détendu, nous respirons lentement et profondément d'une respiration yoguique complète. Il faut penser qu'à chaque inspiration, nous emmagasinons du Prâna, et qu'à chaque expiration nous le dirigeons jusqu'aux plus petites fibres de notre corps. Il est à conseiller de rester dans cette position cinq à dix minutes, tout en continuant à respirer de cette façon.

Un remède
à la mollesse
du corps

Technique

Alors que nous sommes allongé sur le dos, les bras étendus le long du corps, les paumes tournées vers le plafond, et les pieds joints, nous inspirons lentement et profondément, comme au cours de la respiration yogique complète, et fermons les mains. Ensuite, nous contractons très fort le corps y compris les poings et retenons notre souffle pendant quelques secondes. Puis, nous expirons et nous nous relaxons. A répéter plusieurs fois.

Quelques exercices
complémentaires
de respiration

Ces exercices de Prânâyâma sont considérés par les anciens Yogis comme un adjuvant supplémentaire à la respiration yoguique traditionnelle; ils augmentent la résistance dans le corps. Ramacharaka a mentionné ces modes respiratoires dans son ouvrage *Science of breath.*

1) Debout, jambes légèrement écartées, les mains le long du corps; étendre les bras en les remontant sur les côtés, paumes ouvertes, jusqu'à les faire se toucher au-dessus de la tête, tout en inspirant selon la méthode yoguique. Retenir le souffle pendant quelques secondes, puis ramener les bras lentement le long du corps en expi-

rant. Répéter l'exercice plusieurs fois le terminer par la respiration qui purifie.

2) Debout, les jambes légèrement écartées, les bras tendus devant soi à la hauteur des épaules, les paumes tournées vers le sol, inspirer lentement selon la respiration yoguique et retenir son souffle. Puis ouvrir les bras, les étendre complètement de côté et les ramener rapidement en avant quatre ou cinq fois de suite. Expirer vigoureusement par la bouche et laisser tomber les bras. Répéter cet exercice plusieurs fois et le terminer par la respiration qui purifie.

3) Debout, les jambes légèrement écartées, faire une inspiration yoguique complète en levant les bras tendus à l'horizontale en avant, les paumes se faisant face. En retenant son souffle faire trois moulinets avec les bras d'avant en arrière, puis d'arrière en avant. Expirer vigoureusement par la bouche en abaissant les bras et terminer l'exercice par la respiration qui purifie.

4) Couché à plat ventre, les paumes des mains posées sur le sol, à hauteur des épaules, faire l'inspiration yoguique complète et retenir son souffle. Ensuite, en raidissant le corps, se soulever sur les mains et les orteils, puis revenir vers le sol et recommencer le mouvement plusieurs fois de suite. Expirer vigoureusement par la bouche, terminer par la respiration qui purifie et se détendre.

5) Se tenir debout, les paumes appuyées contre le mur, inspirer selon la respiration yoguique complète et retenir son souffle. En raidissant le corps et en pliant les coudes, s'approcher du mur jusqu'à ce que le front vienne le toucher. Puis ramener le corps dans la position initiale avec force. Répéter l'exercice plusieurs fois de suite, puis expirer vigoureusement par la bouche et terminer par la respiration qui purifie.

6) Debout, les pieds légèrement écartés, les mains sur les hanches, les jambes bien tendues et le corps droit, inspirer selon la respiration yoguique complète et retenir son souffle pendant quelques secondes. Tout en expirant par le nez, pencher le torse en avant lentement; en inspirant, revenir à la position première. Après une courte rétention du souffle, se pencher en arrière en expirant lentement. Puis se redresser tout en inspirant, retenir le souffle pendant quelques secondes, se pencher du côté droit en expirant lentement. Se redresser en inspirant, garder le souffle quelques secondes, puis se pencher du côté gauche en expirant lentement. Se redresser en inspirant;

après une courte rétention du souffle, expirer doucement par le nez en laissant tomber les bras. Terminer l'exercice par la respiration qui purifie.

7) Soit debout, soit assis, les jambes croisées, la colonne vertébrale droite, pratiquer la respiration yoguique complète, mais par petites inspirations jusqu'à ce que les poumons soient remplis. Retenir son souffle quelques secondes, expirer lentement par les narines. Répéter cet exercice plusieurs fois de suite et terminer par la respiration qui purifie.

Les Asanas

Postures du corps

Les fonctions physiologiques du corps humain et les Asanas

Selon l'ancienne tradition hindoue, le Dieu Shiva a montré 8 400 000 Asanas, soit autant qu'il y a d'espèces vivantes, pour permettre à l'homme de maintenir son corps en parfaite santé afin de pouvoir atteindre son plus haut développement spirituel.

En fait, un certain nombre d'Asanas furent expérimentés par les anciens Grands Yogis de l'Inde. Ils les révélèrent en vue d'aider les hommes et de leur montrer le chemin d'une évolution rapide.

Dans les textes sanscrits anciens tels que la *Shiva Samhita* (chapitre III, versets 84-91) 84 postures sont mentionnées, alors qu'il n'y en a que 32 dans la *Cheranda Samhita* (deuxième *Upadesha*), mais en réalité vingt à vingt-cinq suffisent pour entretenir ou retrouver un état de santé parfait. Mon expérience m'a permis d'observer que les effets des *Asanas* (postures du corps), du *Prânâyâma* (régularisation et contrôle du souffle), des *Mudras* (exercices d'endurance) et des *Bandhas* (exercices de contraction) sont du plus haut intérêt pour le bienfait de l'organisme humain. Aucune méthode de culture physique, aucun sport au monde ne peuvent apporter ce que ces postures sont en mesure de donner au corps humain, sans fatiguer ni épuiser les organes. Leur rôle dans la protection de l'énergie vitale et dans le maintien de la santé est absolument extraordinaire. Non seulement, elles opèrent sur tout le corps un massage externe, mais elles permettent aussi un exercice absolument unique des organes internes.

La santé dépend de l'état des tissus et des cellules qui les composent; c'est un fait reconnu par le monde médical que les muscles ne peuvent conserver leur force et leur élasticité que s'ils exécutent régulièrement des contractions et des étirements.

Avant de nous occuper du côté pratique des Asanas, nous allons étudier les différentes fonctions physiologiques de notre corps. Les Asanas appropriés indiqués ici peuvent maintenir ces fonctions en parfait état et donner à tout le corps une meilleure vigueur organique.

En dehors de l'anatomie de la tête, du tronc, des jambes et des bras, nous devons aussi connaître les organes internes, de la plus petite unité de cellules jusqu'à l'ensemble musculaire, afin de pouvoir les animer, les régénérer, les renforcer et les développer consciemment et à volonté.

En fait, notre corps est composé de cellules. Selon la biologie, la cellule représente la plus petite unité organique du corps. Elle se compose d'une substance connue sous le nom de protoplasme, considérée comme la base physique de toute vie. Il n'y a pas de vie possible en dehors du protoplasme. C'est ce même protoplasme qui permet à la cellule de devenir une unité organique indépendante, de telle sorte qu'elle peut vivre, se nourrir, croître à sa manière et même se reproduire. Ces cellules varient dans leurs formes, selon la structure des organes auxquels elles appartiennent. Comme elles sont toujours en activité, elles ont besoin de nourriture sous forme d'oxygène, d'eau, de protéines, de graisses, de sucres et de sels. Grâce à cette alimentation, les cellules sont capables de fabriquer le protoplasme qui leur permet de vivre et de fonctionner normalement.

La combinaison de plusieurs cellules forme les tissus. Tous les organes de notre corps sont faits de tissus. Chacun a sa forme et sa fonction propre, selon la forme et la fonction de l'organe auquel il appartient. Lorsque les muscles se contractent, chaque tissu musculaire se contracte également. Le tissu des glandes sécrète des sucs lorsqu'elles sont actives. Egalement, un tissu nerveux en état d'activité transmet des impulsions.

Pour conserver ces tissus en parfaite santé, il est nécessaire premièrement de les nourrir bien et régulièrement, deuxièmement de préserver les glandes endocrines pour les maintenir en parfaite condition, afin d'éliminer les déchets, pour que notre système nerveux fonctionne correctement.

Nous savons déjà que les tissus se nourrissent de protéines, de graisses, de sucres, de sels et d'oxygène, et que le sang les leur apporte. Leur approvisionnement ne dépend pas seulement de la quantité ou de la qualité de ce que nous mangeons ou de ce que nous buvons, mais aussi du pouvoir de la digestion et de la façon dont la nourriture est assimilée. Donc, pour que les tissus soient proprement nourris, il est nécessaire qu'à la fois nos *systèmes digestif et circulatoire* restent efficients.

Les principaux organes de la digestions sont : l'estomac, l'intestin grêle, le pancréas et le foie qui sont situés dans la cavité abdominale. Pendant les vingt-quatre heures où nous inspirons et où nous expirons, ces organes sont doucement massés par la paroi abdominale qui les repousse rythmiquement vers l'intérieur et vers le haut. Ce massage automatique des organes digestifs et très efficace si les muscles abdominaux sont forts et souples. Mais s'ils sont faibles, le résultat en est l'indigestion et bien d'autres désordres abdominaux. Donc, pour conserver aux muscles leur force et leur élasticité, il nous faut prendre des postures qui les étendent et qui les contractent. Quand nous pratiquons le *Salabhâsana* (posture de la sauterelle, p. 150), le *Bhujangâsana* (posture du cobra, p. 147), et le *Dhanurâsana* (posture de l'arc, p. 153), nous étirons les muscles abdominaux et en même temps nous contractons les muscles du dos. Mais lorsque nous pratiquons le *Halâsana* (posture de la charrue, p. 139), le *Yoga-Mudra* (le symbole du Yoga, p. 123) et le *Paschimottânâsana* (étirement du dos et des jambes, p. 142), nous nous trouvons dans l'obligation contraire de contracter fortement les muscles abdominaux et, simultanément, d'étirer à fond les muscles du dos. De la même manière, nous contractons et nous étirons les muscles abdominaux latéraux lorsque nous pratiquons l'*Ardha-Matsyendrâsana* (posture de Matsyendra simplifiée, p. 130) et le *Vakrâsana* (torsion de la colonne vertébrale, p. 134). Pour ce qui se rapporte au massage vertical des organes abdominaux, nous l'obtenons en pratiquant l'*Uddiyâna-Bandha* (contraction en creux de l'abdomen, p. 159).

Tous ces Asanas que nous venons d'indiquer ne sont pas seulement utiles pour préserver la solidité et l'élasticité des muscles abdominaux, mais aussi pour conserver les organes abdominaux à leur place et assurer une digestion et une assimilation adéquates. De cette façon, le système digestif distribue judicieusement dans tout le corps les protéines, les graisses, le sucre et le sel.

L'autre système très important qui nourrit les tissus est le *système circulatoire*. La circulation du sang s'opère au moyen du cœur, des artères, des veines et des capillaires. C'est le cœur qui est le plus important, car c'est la contraction et la relaxation du cœur qui poussent le sang à travers le corps humain. On peut toujours le maintenir en bon état au moyen de postures yoguiques adéquates.

L'*Uddiyâna-Bandha* (contraction en creux de l'abdomen, p. 159) lui apporte un très bon massage qui vient en soulevant le diaphragme. Par l'accroissement ou la diminution des pressions dans la cavité, elle aide à renforcer la santé du muscle cardiaque.

Le *Viparîtakarani* (posture inversée, p. 164), le *Sarvangâsana* (posture complète, p. 166) et le *Halâsana* (posture de la charrue, p. 139) font augmenter et diminuer alternativement la pression sur le cœur. Il en est de même pour le *Salabhâsana* (posture de la sauterelle, p. 150), le *Bhujangâsana* (posture du cobra, p. 147), et le *Dhanurâsana* (posture de l'arc, p. 153). Ces pressions alternées entretiennent le fonctionnement du cœur. Les veines, avec l'aide des artères et des capillaires, ramènent le sang jusqu'au cœur, en luttant dans certaines parties contre la force de gravité.

Trois postures d'inversion, le *Viparîtakarani* (p. 164), le *Sarvangâsana* (p. 166) et le *Sîrshâsana* (p. 172) sont excellentes pour l'entretien des veines et même leur retour à la santé. Les veines de la partie inférieure du corps étant déchargées, par la posture inversée, du dur effort qu'elles font habituellement pour ramener le sang au cœur, il y coule sans la moindre peine. Alors, non seulement on aide les veines à conserver leur santé, mais on renforce le muscle du cœur. C'est ainsi que le système circulatoire apporte en bonne proportion les éléments nécessaires à tous les tissus de notre corps.

Parlons de l'oxygène!

L'oxygène, comme ces quatre élèments, les protéines, les graisses, le sucre et les sels, est apporté aux tissus par le système circulatoire. Ces éléments sont récoltés par le sang à partir du système digestif, alors que l'oxygène est pris dans le *système respiratoire*.

Nous ne respirons correctement et n'absorbons l'oxygène qui nous est nécessaire que si nos poumons sont forts et fonctionnent bien.

Ce n'est que lorsque tous les alvéoles du poumon participent activement à l'acte respiratoire que nous sommes sûrs que ceux-ci sont en bon état. Le *Salabhâsana* (p. 150) est très bénéfique à l'activité des alvéoles et à l'élasticité des poumons.

La rétention du souffle, même pendant quelques secondes, force l'air à entrer dans chaque alvéole pulmonaire et à le gonfler pour le rendre plus actif.

De même le *Salabhâsana* (p. 150) est utile pour conserver aux tissus des poumons toute leur élasticité. On construit de puissants muscles respiratoires au moyen d'inspirations et d'expirations profondes comme celle du *Salabhâsana* (p. 150) et de l'*Uddiyâna-Bandha* (p. 159).

Le *Viparîtakarani* (p. 164), le *Sarvangâsana* (p. 166) et le *Matsyâsana* (p. 170) permettent de garder libres les voies respiratoires. Ainsi, l'oxygène absorbé par les poumons est apporté en quantité nécessaire aux tissus à travers le système circulatoire.

Les glandes endocrines

La santé des tissus ne dépend pas seulement d'un apport suffisant en protéines, en graisses, en sels et en oxygène, mais aussi de la sécrétion interne des glandes endocrines.

Les glandes endocrines les plus importantes sont l'*hypophyse*, la *glande pinéale*, la *thyroïde* et la *parathyroïde*, les *capsules surrénales* et les *gonades* ou *glandes sexuelles*.

On les nomme glandes endocrines ou glandes closes car leurs sécrétions sont internes et, pour la plupart, se déversent directement dans le sang. On a découvert qu'une insuffisance de sécrétion de l'une de ces glandes pouvait avoir des conséquences sérieuses.

L'hypophyse, par exemple, qui se situe dans la tête juste derrière le nez et au-dessous du cerveau, est une pièce maîtresse (maîtresse glande) qui affecte très puissamment toutes les autres, y compris les glandes sexuelles. Si on se trouve suralimenté en graisses et en hydrates de carbone pendant des années, toutes les glandes s'affaiblissent, particulièrement l'hypophyse. Le résultat est un excès de dépôt graisseux autour de la poitrine et de l'abdomen.

La glande pinéale est également située dans la tête, à la base du cerveau. Les expériences yoguiques ont démontré qu'elle est le siège des plus hautes facultés, telles que les pouvoirs occultes : la clairvoyance, la télépathie, etc. Elle contribue à conserver l'équilibre du système endocrinien. Si les émotions l'affectent, l'équilibre du système endocrinien est compromis.

Pratiquer le Sîrshâsana (se tenir sur la tête, p. 172) est la meilleure façon de conserver en parfait état la glande pinéale et l'hypophyse. S'il est impossible, pour une raison quelconque, de pratiquer le Sîrshâsana, nous pouvons dans une large mesure obtenir le même bénéfice en pratiquant le Viparîtakarani (p. 164), le Sarvangâsana (p. 166) et le Matsyâsana (p. 170).

La thyroïde et la parathyroïde sont situées à l'avant de la gorge. La glande thyroïde est un des plus puissants agents érigés par la nature pour protéger le corps humain contre les poisons. Elle est là, comme un gardien, entre le mental et le physique. Elle sécrète des hormones qui donnent au corps l'essentiel de sa vivacité. L'une des actions de la thyroïde est de brûler les graisses, mais, lorsqu'elle ne fonctionne pas bien, il peut en résulter un excès de dépôts graisseux sur tout le corps. La torpeur mentale, les pertes de mémoire, l'absence de conscience du temps, un désir constant de dormir et une attitude dépressive sont les symptômes caractéristiques d'une insuffisance thyroïdienne. Lorsqu'elle travaille trop, c'est-à-dire lorsqu'il y a hyperthyroïdie, le résultat est inverse. La perte de poids excessive, la tension, l'insomnie, les palpitations, la nervosité, l'agitation, la hâte perpétuelle sont les symptômes d'une hyperthyroïdie. Une thyroïde dégénérée devient la cause de beaucoup de maladies et particulièrement du vieillissement accéléré et même d'une mort prématurée. Nous pouvons conserver à notre thyroïde son bon équilibre, même jusqu'à un âge avancé, en pratiquant régulièrement le Viparîtakarani (p. 164), le Sarvangâsana (p. 166) et le Matsyâsana (p. 170).

Les capsules surrénales sont situées au sommet de chaque rein comme un petit chapeau. Ces glandes sécrètent une hormone, l'adrénaline qui passe dans le sang, afin de mettre le corps en état de défense en cas de danger ou de gros choc émotif; elle nous avertit que nous devons être prêts à agir, ou nous aide à supporter une épreuve. Lorsque ces glandes sont dans leur état normal, c'est-à-dire lorsqu'elles sont en parfaite condition, nous nous sentons énergiques et actifs, mais lorsqu'elles sont atteintes ou déréglées par des émotions violentes, elles élèvent la tension et sont la source de bien d'autres maladies de la circulation.

Le Bhujangâsana (p. 147), l'Uddiyâna-Bandha (p. 159) et le Dhanurâsana (p. 153) peuvent entretenir les capsules surrénales en condition parfaite.

Les gonades ou glandes sexuelles sont les testicules chez les hommes et, chez les femmes, les ovaires, qui sont situés dans le bassin. Ces glandes produisent à la fois des sécrétions internes et des sécrétions externes. Les sécrétions externes sont l'origine de la reproduction, alors que les sécrétions internes revitalisent le corps entier. Le Sarvangâsana (p. 166) et l'Uddiyâna (p. 159) ont été prouvés d'une grande efficacité pour entretenir en parfaite santé les testicules et les ovaires.

Ainsi, la bonne condition des différentes fonctions végétatives dépend principalement de ces glandes endocrines qui, lorsqu'elles sont perturbées, à la suite d'émotions violentes par exemple, peuvent provoquer des troubles très sérieux.

On peut conclure que la pratique des Asanas peut assurer la santé des glandes endocrines de sorte qu'elles sont rendues capables de fournir les sécrétions nécessaires aux tissus.

Il existe une autre condition pour entretenir la santé des tissus : *l'élimination complète des déchets du corps.* L'acide urique contenu dans l'urine, ainsi que l'urée, la bile et les matières fécales sont des déchets qui nous empoisonnent, si nous ne les éliminons pas rapidement. Ils amènent des troubles graves dans l'organisme. On ne peut les éliminer complètement que si nos systèmes digestif, respiratoire et urinaire fonctionnent bien. Ils s'entretiennent en bon état par la pratique des Asanas appropriés. La santé des reins par exemple peut être favorisée par le Dhanurâsana (p. 153), le Bhujangâsana (p. 147) et l'Uddiyâna (p. 159).

Enfin, la condition ultime pour maintenir la santé des tissus est le bon fonctionnement du *système nerveux.* Le cerveau en est la partie la plus importante. Le réseau nerveux part du cerveau et passe par la moelle épinière d'où il se répartit dans tout le corps. Si ces liaisons nerveuses sont dégénérées ou détruites, les tissus ne remplissent plus du tout leur rôle; c'est une catastrophe pour notre corps. Si les liaisons nerveuses sont en bon état, les tissus aussi se maintiennent actifs et en bonne santé.

La pratique du Sîrshâsana (p. 172) et du Viparîtakarani (p. 164) est parfaite pour assurer le bon fonctionnement du cerveau et des nerfs crâniens en leur envoyant un flux riche de sang. Toutes les autres postures yoguiques qui nous font étirer le corps en avant et en arrière, l'incliner d'un côté et de l'autre, et exécuter des torsions à droite et à gauche, assurent la parfaite élasticité des tissus et donnent la santé à la colonne vertébrale.

L'Uddiyâna-Bhanda est particulièrement précieux pour la colonne vertébrale et les nerfs sympathiques. Les postures yoguiques peuvent donc préserver la santé de tout le système nerveux.

Nous avons maintenant vu qu'un apport constant d'aliments appropriés, la sécrétion régulière des glandes endocrines, une élimination complète des déchets, et le bon fonctionnement du système nerveux contribuent à entretenir la santé des tissus qui peuvent être améliorés par la pratique des Asanas.

La santé ne dépend pas seulement des activités physiques d'un individu mais aussi *des muscles de son corps*. Si nous manquons de muscles ou si nos muscles sont déficients, il nous sera tout à fait impossible d'exécuter convenablement un travail physique. Nous manquerons de force. Les Asanas sont capables d'entretenir et d'améliorer la force de nos muscles. Dans le chapitre suivant nous allons étudier les Asanas et en donner une description pratique et complète.

La pratique
des Asanas

Il faut se souvenir qu'à aucun moment on ne doit forcer ni fatiguer le corps pendant l'exécution des postures. Si nous ressentons la moindre douleur, nous devons l'interpréter comme une invitation à nous arrêter. Toute posture doit être exécutée lentement, prudemment, progressivement et avec patience. Il ne faut pas chercher à aller vite. Pour les personnes d'un certain âge, les postures peuvent être simplifiées selon les cas individuels. Les Asanas doivent se pratiquer l'estomac vide. Si ces conseils ne sont pas suivis, les résultats ne seront pas positifs.

Si les exercices sont mal exécutés, au bout de quelques jours on ressentira de la gêne, des malaises. Cela fera comprendre que quelque chose ne va pas dans la manière de pratiquer le Yoga.

Par contre, lorsque les postures sont exécutées de façon normale et correcte, elles procurent de la légèreté, un sentiment de bien-être à la fois du corps et de l'esprit et une impression de fraîcheur créant un état de totale relaxation.

Padmâsana
Posture du lotus

Technique

Le Padmâsana est une posture de méditation. Des personnes qui souffrent de raideur dans les jambes, les genoux, les chevilles, etc. peuvent surmonter cette difficulté en s'exerçant à prendre cette posture régulièrement, avec patience et persévérance.

En plaçant le pied droit sur la cuisse gauche et le pied gauche sur la cuisse droite, nous ajustons les deux talons, de sorte que chacun soit pressé contre la partie abdominale qui lui est proche, alors que

les mains reposent sur les genoux en restant ouvertes, paumes en l'air, le bout de l'index touchant le pouce et formant ainsi un petit cerche appelé « Jnana Mudra » : l'index représente l'âme individuelle et le pouce l'âme universelle. L'union des deux symbolise la Connaissance. Les mains peuvent aussi reposer à plat sur les genoux. On peut aussi placer les mains l'une sur l'autre, la paume en l'air, le dos de la main droite posé sur l'intérieur de la main gauche, celles-ci reposant naturellement au creux du corps sous le nombril.

Il est important de tenir la tête et la colonne vertébrale parfaitement droites, mais sans aucune crispation.

Bénéfices thérapeutiques

Cette posture développe la stabilité physique et mentale, calme les nerfs, guérit la raideur des genoux et des jointures et évite les rhumatismes. La région pelvienne est abondamment irriguée de sang à partir de la bifurcation de l'aorte abdominale et ceci a pour effet de tonifier la région du coccyx et les nerfs du sacrum. Le corps entier est maintenu en parfait équilibre.

Remarque

Les postures de méditation qui suivent, telles que le Siddhâsana, le Svastika et la Samâsana ont toutes les mêmes effets thérapeutiques.

Siddhâsana

Posture de l'adepte

Technique

Il faut faire attention à ne pas blesser les parties génitales; la colonne vertébrale doit rester verticale. Afin d'éviter toute possibilité de pressions désagréables, le temps consacré à la pratique journalière de cette posture doit être progressif.

Posant le talon du pied gauche contre le périnée, nous plaçons le pied droit contre l'os du pubis juste au-dessus des organes génitaux, qui doivent être placés avec précaution sous le talon droit, de sorte qu'aucune pression ne soit exercée sur eux. Les mains peuvent être placées en position de *Jnana Mudra,* ou posées l'une sur l'autre ou reposer simplement à plat sur les genoux comme dans le Padmâsana.

Bénéfices thérapeutiques

Cette posture développe la stabilité physique et mentale, calme les nerfs, guérit la raideur des genoux et des jointures et évite les rhumatismes. La région pelvienne est abondamment irriguée de sang à partir de la bifurcation de l'aorte abdominale et ceci a pour effet de tonifier la région du coccyx et les nerfs du sacrum. Le corps entier est maintenu en parfait équilibre.

Svastika
Posture bénéfique

Svastika en sanscrit signifie « bénéfique », le symbole de la Svastika est représenté par deux traits qui se croisent à angles droits. C'est pourquoi le fait de croiser les jambes ou les mains s'appelle également Svastika. La colonne vertébrale et la tête doivent être bien droites, sinon cela provoquerait un épuisement.

Technique

Plaçant le talon du pied droit contre la base de la hanche gauche, nous posons le pied gauche contre le mollet de la jambe droite, tout en disposant les mains selon les différentes manières indiquées dans la position du lotus.

Bénéfices thérapeutiques

Identiques à ceux de la posture du lotus.

Samâsana
Posture de symétrie

Sama signifie « symétrie ». Dans cette posture, le corps est placé symétriquement et se trouve en parfait équilibre.

Technique

Plier la jambe droite en plaçant le pied droit directement sur le sol. Mettre le pied gauche sur le pied droit en plaçant le talon du pied gauche contre l'os du pubis, au-dessus des organes génitaux. Cette position peut être inversée.

La tenue de la tête et du dos et la position des mains sont les mêmes que dans la posture du lotus.

Bénéfices thérapeutiques

Identiques à ceux de la posture du lotus.

Sukhâsana

Posture simplifiée

Technique

Ceux qui ont des difficultés à méditer en gardant les postures Padmâsana (posture en lotus) ou Siddhâsana (posture de l'adepte) ou les autres postures de méditation, peuvent s'asseoir simplement en croisant les jambes dans la position du tailleur. Il est très important de tenir la tête et le tronc bien droits, sans se contracter en laissant reposer les mains sur les genoux.

Bénéfices thérapeutiques

Ils sont identiques à ceux qu'apportent les autres postures de la méditation.

Yoga-Mudra
Le symbole du Yoga

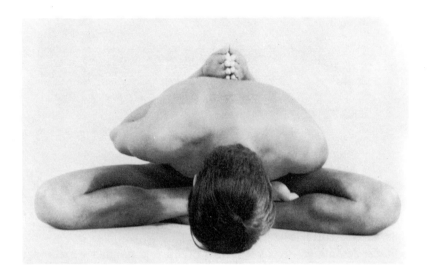

Mudra signifie « symbole ».
Les mudras sont des postures comportant des exercices de régularisation du souffle, de contractions musculaires et de concentration
pour atteindre la maîtrise des sens.
Le Yoga-Mudra, lorsqu'il est pratiqué pour des raisons spirituelles,
favorise l'éveil de la Kundalini.

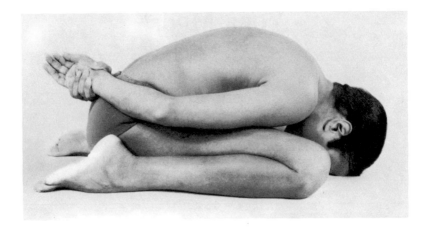

Technique

Cet exercice se pratique en Padmâsana. Il peut être aussi exécuté assis sur ou entre les talons.

Placer les mains derrière le dos, prendre le poignet gauche dans la main droite, et tenir la colonne vertébrale parfaitement verticale. Faire une inspiration yoguique complète et en expirant lentement se pencher graduellement en avant jusqu'à ce que le front touche le sol.

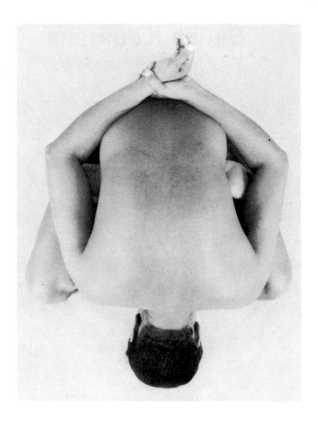

Demeurer ainsi quelques secondes sans respirer. Diriger l'attention vers la région abdominale. Ensuite, en inspirant profondément, se redresser et se détendre. Répéter deux ou trois fois de suite.

Précautions à prendre

Il faut se pencher en avant, doucement, sans forcer et sans donner de secousses à la colonne vertébrale.

Bénéfices thérapeutiques

Cet exercice est un remède contre la constipation. Il fortifie les muscles abdominaux, et les organes de la cavité abdominale sont maintenus en bonne place. Tout le système nerveux et les nerfs sacro-lombaires en particulier sont tonifiés et, pour les hommes, cet Asana aide à prévenir les carences du sperme.

Badha Konâsana
Yoga-Mudra les pieds joints

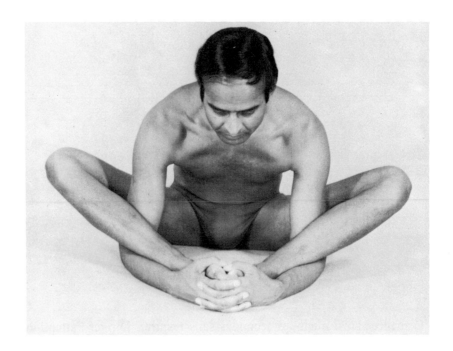

Précautions à prendre

Les mêmes que pour le Yoga-Mudra.

Technique

S'asseoir sur le sol, joindre la plante des pieds et écarter les genoux au maximum. Faire une inspiration yoguique complète en tenant le dos droit. Puis, en expirant, glisser les avant-bras sous les jambes, enlacer les pieds des deux mains – les coudes au sol – et se pencher lentement en avant jusqu'à ce que le front touche les pieds. Rester

126

ainsi quelques secondes et se redresser lentement en inspirant profondément, puis se détendre en s'allongeant sur le dos.

Répéter cet Asana deux à trois fois. Pendant l'exécution de la posture, diriger l'attention vers la région abdominale.

Effets thérapeutiques

Cet exercice est extrêmement bénéfique pour les femmes. Il régularise les désordres menstruels et assure un meilleur fonctionnement des ovaires.

L'abdomen et le dos sont stimulés par un abondant flot sanguin, les reins et la vessie maintenus en bonne santé. Cette posture est surtout recommandée aux gens souffrant de troubles urinaires.

Supta-Vajrâsana
Posture pelvi-dorsale

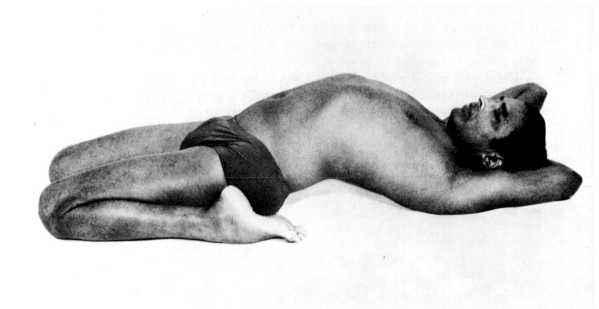

Précautions à prendre

Il faut prêter une attention particulière aux chevilles et aux genoux et faire attention à ne pas forcer les articulations.

Technique

S'asseoir sur le sol entre les talons. Tenir les pieds avec les mains et se pencher, en arrière, lentement, en s'appuyant sur les coudes, jusqu'à ce que le dos et la tête se posent par terre. Placer les mains derrière la nuque et pratiquer la respiration yoguique complète, en gardant le corps entièrement détendu. Rester dans cette pose aussi longtemps que l'on s'y sent à l'aise et diriger l'attention vers le plexus solaire. Puis, se redresser à l'aide des coudes, allonger les jambes et se relaxer.

Bénéfices thérapeutiques

Excellent exercice pour les chevilles, les genoux et les cuisses. Recommandé aux personnes manquant d'énergie vitale, car cet Asana, en provoquant un afflux sanguin dans le tronc, stimule et régénère le plexus solaire. Les nerfs sous-cutanés sont tonifiés. Cette posture est conseillée aux personnes dont l'activité glandulaire est insuffisante et à celles qui souffrent de constipation.

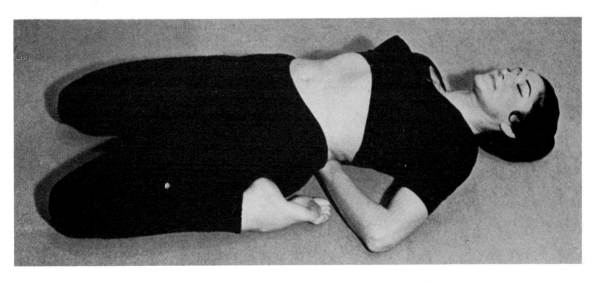

Ardha-Matsyendrâsana
Posture simplifiée du Yogi Matsyendra

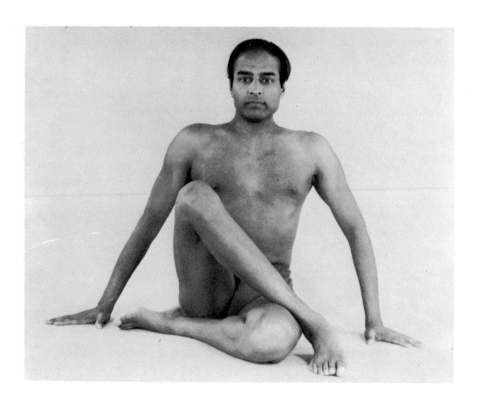

Cet Asana a été nommé d'après le Yogi Matsyendra. Ardha veut dire « demi ».

Le Matsyendrâsana étant extrêmement difficile à exécuter, il a été simplifié et adopté sous le nom d'Ardha-Matsyendrâsana.

Précautions à prendre

Il faut veiller à ne pas forcer l'articulation des coudes. Durant cet exercice, le dos doit rester droit. En exécutant une torsion de la colonne vertébrale, il faut éviter toute saccade.

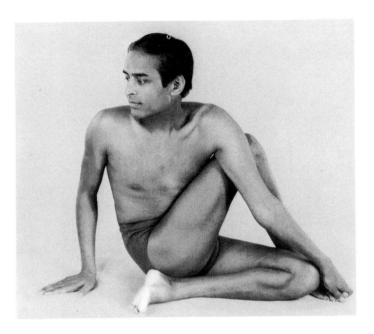

Technique

Placer le talon du pied droit sous la cuisse gauche et faire passer la jambe gauche par-dessous la cuisse en appuyant la plante du pied

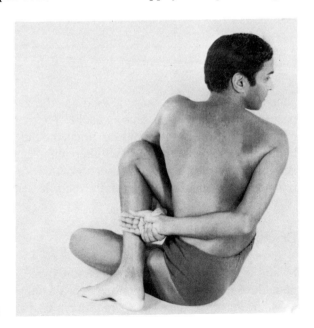

Variante

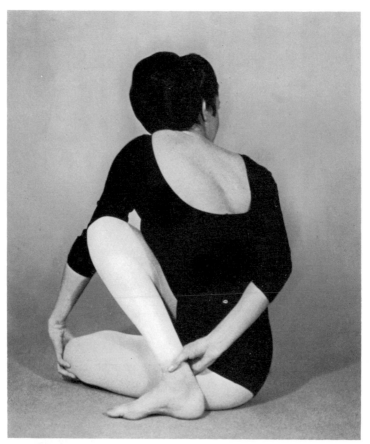

Variante

gauche par terre. Puis saisir le pied gauche avec la main droite en passant le bras devant le genou gauche. Tourner la tête et le dos lentement à gauche en tendant le bras gauche en arrière, la main appuyée sur le sol. Respirer régulièrement en dirigeant l'attention vers la colonne vertébrale. Conserver cette posture pendant un certain temps, et ensuite la reprendre dans le sens opposé.

Bénéfices thérapeutiques

Swami Kuvalayananda écrit, dans son livre *Asanas* page 82, que nous devons exercer la colonne vertébrale dans toutes les directions possibles, si nous désirons la maintenir en parfaite santé.

132

On peut infléchir la colonne vertébrale de six façons : en avant, en arrière, sur les deux côtés et avec torsion à droite et à gauche. Le Sarvangâsana, le Halâsana, le Paschimottânâsana et le Yoga-Mudra renforcent la colonne vertébrale par des flexions en avant. Par contre, le Matsyâsana, le Bhujangâsana, le Salabhâsana et le Dhanu-râsana l'assouplissent par des flexions en arrière.

L'Ardha-Matsyendrâsana imprime à la colonne vertébrale deux mouvements de torsion latérale, l'un à gauche et l'autre à droite. Cet Asana est donc très utile. Il a une valeur curative et corrige les dévia-tions de la colonne vertébrale. Il agit favorablement sur la vésicule biliaire, la rate et les reins, ainsi que sur les intestins.

Vakrâsana
Torsion de la colonne vertébrale

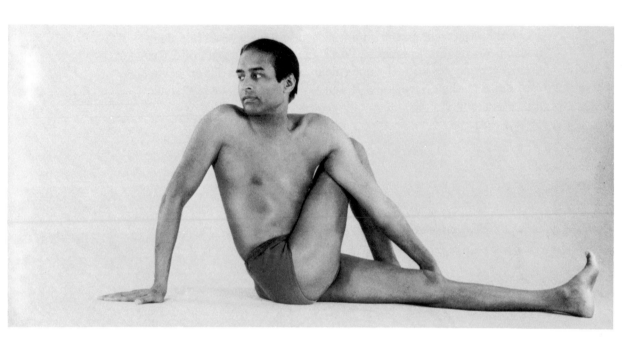

En sanscrit *Vakra* veut dire « tordu ».

Le Vakrâsana a été introduit dans le Hatha-Yoga par Swami Kuvalayananda. Il n'est qu'une variante simplifiée de l'Ardha-Matsyendrâsana, pour les personnes dont les genoux sont raides et qui éprouvent des difficultés à les plier.

Technique

Assis sur le sol, les jambes allongées, plier la jambe droite, en la ramenant contre l'abdomen. Soulever le pied droit, le passer par-dessus la cuisse gauche et poser la plante sur le sol. Saisir le pouce du pied droit avec la main gauche en passant le bras devant le genou droit. Étendre le bras droit derrière le dos, la paume de la main appuyée sur le sol.

Garder cette position quelques secondes, ensuite l'exécuter dans l'autre sens. Pendant l'exécution de l'Asana, diriger l'attention vers la colonne vertébrale.

Bénéfices thérapeutiques

Identiques à ceux de l'Ardha-Matsyendrâsana.

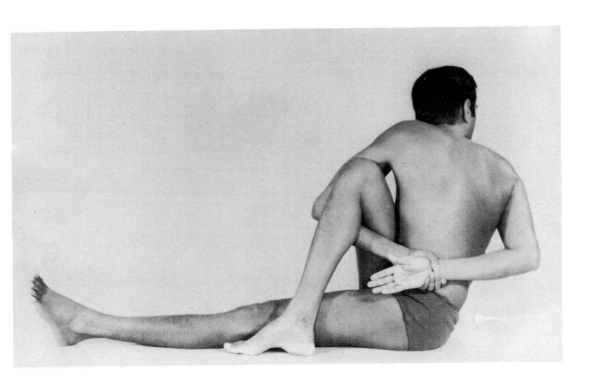

Trikonâsana
Posture du triangle

Technique

Debout, les pieds écartés, faire une inspiration yoguique complète en élevant latéralement les bras jusqu'à l'horizontale. En expirant,

fléchir le tronc à droite jusqu'à ce que les doigts de la main droite touchent le sol derrière le pied droit. Les bras forment une ligne verticale, le visage est tourné vers le haut. Après quelques instants, se redresser en inspirant. Puis exécuter le même mouvement à gauche. Terminer cet exercice en expirant et en abaissant lentement les bras. Diriger l'attention vers la colonne vertébrale. Répéter cet Asana plusieurs fois de suite.

Bénéfices thérapeutiques

Cet Asana tonifie les muscles du dos, des hanches et des jambes et assure la bonne position des os des hanches. Il soulage les douleurs de la nuque et du dos et assouplit les jambes.

Variante

Halâsana

Posture de la charrue

En sanscrit *Hala* veut dire « charrue ».

Technique

S'allonger sur le dos, les bras étendus le long du corps, les paumes appuyées sur le sol. Faire une inspiration yoguique complète. Expirer et lever lentement les jambes tendues à la verticale, puis, en s'appuyant sur les bras demeurés au sol, laisser retomber doucement les jambes derrière la tête jusqu'à ce que le bout des pieds touche par terre. Garder cette posture quelques secondes en respirant régulièrement. C'est le premier stade. Au deuxième stade, pousser les pieds un peu plus loin derrière la tête et rester quelques secondes en continuant à respirer régulièrement. Passer au troisième stade en poussant les pieds encore plus loin, en arrière. En même temps, plier les bras et placer les mains sous la nuque. Demeurer ainsi quelques secondes sans forcer. Diriger l'attention vers la colonne vertébrale pendant l'exécution des trois stades.

Pour revenir à la position de départ, placer les bras le long du corps, rapprocher lentement les pieds de la tête en passant par les deux stades en sens inverse, puis ramener les jambes à la verticale, les poser doucement sur le sol et se détendre .

A chaque stade, on exerce de façon différente la colonne vertébrale.

Précautions à prendre

Les personnes ayant une colonne vertébrale raide doivent pratiquer cet Asana avec prudence, sans jamais forcer, en évitant tout mouvement saccadé. Si cet exercice est exécuté régulièrement et avec persévérance, la colonne vertébrale la plus raide s'assouplira. Le Viparîta-karani est une bonne préparation au Halâsana.

Bénéfices thérapeutiques

Cet Asana est extrêmement bénéfique pour l'épine dorsale. Le sang irrigue abondamment toute la région de la colonne vertébrale et de ce fait revitalise les nerfs et les muscles du dos. La fatigue et l'épuisement sont vite chassés. Cette posture a un effet régénérateur sur le système glandulaire et régularise les désordres menstruels. Pratiqué régulièrement, il empêche la formation de graisse au ventre, aux hanches et à la taille.

Paschimottânâsana
Étirement du dos et des jambes

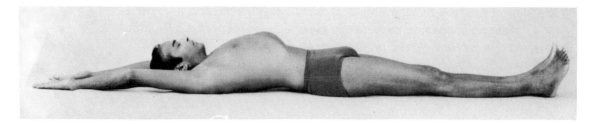

Technique

S'allonger sur le dos, les pieds joints. Lever les bras au-dessus de la tête en faisant une inspiration yoguique complète. Ensuite, redresser le torse et expirer en se penchant lentement en avant jusqu'à ce que la tête touche les genoux qui doivent rester tendus. Tenir le gros orteil droit avec le pouce et l'index de la main droite et le gros orteil gauche avec le pouce et l'index de la main gauche, ou simplement tenir les chevilles avec les mains, en posant les coudes sur le sol. Rester quelques secondes dans cette position, puis inspirer profondément en relevant le tronc et s'étendre sur le dos, les bras reposant le long du corps. Expirer et se détendre. Pendant l'exécution de l'Asana, diriger l'attention vers la région abdominale.

Précautions à prendre

Lorsqu'on se penche en avant, les genoux doivent rester tendus pour permettre un étirement à fond des muscles des jambes et de la région sacrolombaire. Mais il ne faut pas forcer, on doit éviter tout mouvement saccadé. Si, au début, l'on a quelques difficultés à se pencher en avant, un peu de patience et de persévérance suffiront pour venir à bout de toutes les raideurs.

Bénéfices thérapeutiques

Pratiqué sans exagération (maximum trois minutes par jour, sinon il produit l'effet contraire) le Paschimottânâsana est un bon remède

contre la constipation. Tous les muscles postérieurs du dos sont éti-
rés à fond et les muscles abdominaux renforcés, ce qui évite la formation de graisse au ventre. Cet Asana a un effet particulièrement
bienfaisant sur la colonne vertébrale. Un afflux de sang irrigue les
gonades, la prostate, l'utérus et la vessie, améliorant leur état de
santé. Cette posture régénère les reins et les organes digestifs. Il peut
enrayer ou même guérir le diabète.

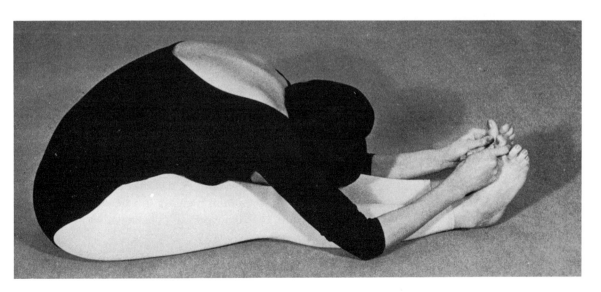

Ourdhva Paschimottânâsana
Étirement du dos et des jambes vers le haut

Ourdhva veut dire « vers le haut ».

Technique

S'asseoir sur le dos, plier les genoux et tenir les pieds avec les mains. Faire une inspiration yoguique complète, puis expirer et déplier les jambes verticalement jusqu'à ce qu'elles soient bien tendues. Approcher la tête des genoux et garder la position quelques secondes. Ensuite plier les genoux, baisser les jambes et se détendre.

Précautions à prendre

Les mêmes que pour le Paschimottânâsana.

Bénéfices thérapeutiques

Similaires à ceux du Paschimottânâsana, mais c'est aussi un exercice d'équilibre et de stabilité mentale qui développe le pouvoir de concentration.

144

Padahastâsana
Étirement du dos et des jambes vers le bas

En sanscrit *Pada* veut dire « pied » et *Hasta* « main ».

Technique

Se tenir debout, les pieds joints, les bras le long du corps. Faire une inspiration yoguique complète puis, en expirant, se pencher lentement en avant – sans courber le dos – et tenir le pied avec la main ou le gros orteil avec l'index et le pouce (comme pour le Paschimottânâsana). Ensuite, toucher les genoux avec la tête en gardant les jambes tendues. Rester ainsi pendant quelques secondes, puis se redresser lentement en inspirant profondément et se détendre. Répéter cet exercice deux ou troix fois. Pendant l'exécution de l'Asana diriger l'attention vers la région abdominale.

 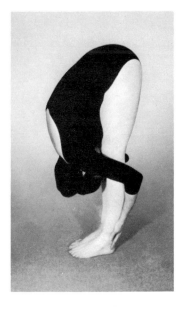

Précautions à prendre

Il faut éviter tout mouvement saccadé de la colonne vertébrale.

Bénéfices thérapeutiques

Cet exercice tonifie les organes de la cavité abdominale, et assure un bon fonctionnement du foie et de la rate. Il est excellent pour les personnes souffrant de troubles digestifs.

Comme le Paschimottânâsana, cet Asana a un effet bienfaisant sur la colonne vertébrale et permet l'étirement à fond des muscles du dos et des jambes.

Bhujangâsana
Posture du cobra

Technique

Se coucher d'abord sur le ventre et poser les paumes des mains sur le sol, sous les épaules. Faire une inspiration yoguique complète, puis, en s'appuyant légèrement sur les bras, lever lentement la tête et le tronc et se pencher en arrière le plus loin possible, sans toutefois soulever du sol la région abdominale. Garder cette position quelques secondes; ensuite, en expirant lentement, revenir progressivement à la position première. Se détendre en posant les mains sous le front. Répéter cet exercice deux ou trois fois.

Pendant l'exécution de l'Asana, diriger l'attention d'abord sur la thyroïde, puis le long de l'épine dorsale, et enfin vers le bas de la colonne vertébrale.

Précautions à prendre

Les personnes ayant la colonne vertébrale raide doivent débuter lentement et avec prudence. Il faut éviter toute secousse.

Bénéfices thérapeutiques

En pratiquant le Bhujangâsana, les muscles dorsaux entrent en jeu et exercent une pression sur les vertèbres de la nuque jusqu'en bas de la colonne vertébrale, ce qui provoque un abondant courant sanguin dans cette région et la tonifie.

Cet Asana peut corriger de légers déplacements de disques. Il soulage les douleurs dorsales, assouplit la colonne vertébrale et la maintient en bonne santé.

Il a également un effet bienfaisant sur les reins (glandes surrénales), et stimule la digestion.

Ardha-Bhujangâsana

Mi-posture du cobra

Technique

Poser le genou gauche à terre et le pied droit devant soi de sorte que le tibia soit vertical. Faire une inspiration yoguique complète. En expirant, transférer le poids du corps en avant, sans pencher le torse, jusqu'à ce que les doigts touchent le sol. Les bras restent en position verticale pendant tout l'exercice. Garder cette attitude quelques secondes sans respirer, puis remonter lentement en faisant une inspiration yoguique complète. Répéter deux ou trois fois et faire le même exercice avec l'autre jambe. Se détendre ensuite. Pendant l'exécution de l'Asana se concentrer sur le mouvement.

Bénéfices thérapeutiques

Cet Asana maintient le corps en équilibre. Il a un effet bienfaisant sur les reins et empêche la formation de graisse aux hanches. Il assouplit la colonne vertébrale, les jambes et les chevilles.

149

Salabhâsana

Posture de la sauterelle

En sanscrit *Salabha* veut dire « sauterelle ».

Technique

S'allonger sur le ventre et appuyer le front ou le menton sur le sol. Étendre les bras le long du corps, en fermant les poings. Faire une inspiration yoguique complète, raidir les bras, serrer les poings et lever les jambes aussi haut que possible. Garder cette position pendant quelques secondes, en retenant son souffle, et diriger l'attention vers la région lombaire. Puis expirer et baisser les jambes. Se détendre en restant couché sur le ventre. Répéter l'exercice deux ou trois fois.

Précautions à prendre

Il faut veiller à ne pas fatiguer les poumons en prolongeant la posture et à ne pas lever les jambes violemment.

Bénéfices thérapeutiques

Exercice excellent pour les muscles du dos, des bras et de la région abdominale qu'il fortifie. Il a un effet bienfaisant sur les organes digestifs et guérit la constipation la plus opiniâtre. Cet Asana provoque un grand afflux de sang dans les reins, qui les nettoie et les régénère.

Ardha-Salabhâsana

Posture simplifiée pour personnes éprouvant des difficultés à lever les deux jambes à la fois.

Bénéfices thérapeutiques

Les mêmes que pour le Salabhâsana.

Dhanurâsana

Posture de l'arc

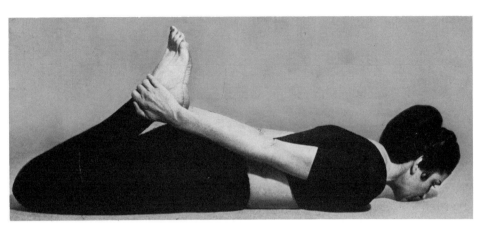

En sanscrit *Dhanus* veut dire « arc ».

Technique

S'allonger sur le ventre. Plier les genoux sans les écarter. Saisir les chevilles avec les mains et appuyer le menton par terre. Faire une inspiration yoguique complète, puis lever les jambes, la tête et le

haut du corps en arquant le dos. Garder cette position aussi long-temps que possible, en respirant régulièrement et en dirigeant l'attention vers la partie inférieure de la colonne vertébrale (région du bassin). Ensuite, relâcher le corps doucement et revenir à la position initiale. Répéter cet exercice deux ou trois fois et se détendre.

Précautions à prendre

Cet exercice demandant un certain effort, il faut faire attention aux jointures et surtout ne pas aller vite.

Bénéfices thérapeutiques

Cet Asana assouplit la colonne vertébrale et fortifie tous les centres nerveux. Il recharge le plexus solaire de force vitale et tonifie les organes abdominaux. Cet exercice stimule les glandes endocrines et est excellent en cas de troubles et d'irrégularités de la menstruation chez les femmes. Il empêche la formation de graisse au ventre et aux hanches.

Mayurâsana
Posture du paon

En sanscrit *Mayura* signifie « paon ».

Technique

S'agenouiller par terre – les genoux écartés – poser les paumes à plat sur le sol, les doigts tournés vers les pieds. Appuyer les coudes sur l'abdomen, juste sous le nombril et se pencher en avant, en touchant le sol avec le front. Puis, prendre appui sur le front pour étendre les jambes en arrière. Ensuite, soulever les pieds et la tête et maintenir le corps parallèle au sol (comme une barre horizontale) appuyé uniquement sur les deux bras. Rester en équilibre aussi long-

155

temps que possible. Puis s'allonger sur le ventre et se détendre. Pendant l'exécution de cet Asana se concentrer sur le mouvement et respirer normalement.

Précautions à prendre

Il s'agit d'un Asana très difficile que l'on doit pratiquer avec prudence. Il demande beaucoup de souplesse des mains et des poignets. Attention aux articulations.

Bénéfices thérapeutiques

Cette posture demande beaucoup de force de volonté et de concentration. Elle est un merveilleux équilibrant pour le corps et fortifie les mains, les poignets et les avant-bras.

La pratique de cet Asana provoque une pression intra-abdominale, tonifiant les organes et les muscles de cette région. En outre, l'afflux de sang dans les organes digestifs améliore leur état de santé et guérit la constipation.

Jalandhara-Bandha
Mouvement de la tête, du cou et de la nuque

Jala veut dire « filet », et se rapporte au cerveau et aux nerfs qui traversent le cou, *Dhara* signifie « l'action de tirer vers le haut » et *Bandha* « contraction ».

Pendant le Jalandhara, le cou et la gorge se contractent et le menton est appuyé dans le creux au-dessus du sternum. On se rend maître de ce mouvement en pratiquant le Sarvangâsana.

Technique
S'asseoir en Padmâsana ou en Siddhâsana. Baisser la tête en appuyant fermement le menton dans le creux au-dessus du sternum. Peut se pratiquer à n'importe quel moment de la respiration, mais surtout poumons pleins.

Bénéfices thérapeutiques
Cet exercice régularise le courant sanguin et prânique se dirigeant vers le cœur, les glandes du cou, la tête et le cerveau.

Jihva-Bandha
Contraction de la langue

En sanscrit *Jihvâ* signifie la « langue » et *Bandha* « contraction ».

Technique
Cet exercice se pratique en position du lotus ou en tailleur. Placer la surface de la langue à l'intérieur de la mâchoire supérieure et l'appuyer fortement contre le palais. Ouvrir la bouche autant que possible en maintenant la langue appuyée (comme une ventouse) contre le palais pendant quelques instants
Variante : tirer complètement la langue, puis la ramener lentement, jusqu'au fond de la gorge, en roulant la pointe de l'organe en arrière comme si on voulait l'avaler. Effectuer une respiration yoguique complète après l'exercice que l'on répétera trois ou quatre fois.

Bénéfices thérapeutiques
Ce Bandha exerce les muscles du cou, améliore la circulation sanguine de cette région du corps et l'audition. Il a un effet bénéfique sur les nerfs cervicaux, le pharynx et le larynx, les amygdales, la glande thyroïde et les glandes salivaires.

Mula-Bandha
Contraction des muscles pelviens

En sanscrit, *Mula* veut dire « racine » ou « source » et *Bandha* « contraction ». C'est une posture où les organes de la région pelvienne sont contractés et maîtrisés.

Technique

Assis en Siddhâsana ou en exécutant d'autres Asanas, particulièrement le Paschimottânâsana, le Sarvangâsana, le Sîrshâsana ou simplement debout bien droit, inspirer lentement comme en respiration yoguique complète. Puis retenir le souffle et contracter les muscles orbiculaires de l'anus, ce qui entraîne la contraction de toute la région pelvienne, c'est-à-dire du bas de l'abdomen, entre le nombril et l'anus. Après quelques instants, se détendre en expirant lentement. Répéter cet exercice plusieurs fois. Pendant l'exécution de Mula-Bandha diriger l'attention vers la région pelvienne. Mula-Bandha peut aussi se pratiquer les poumons vides c'est-à-dire après l'expiration.

Précautions à prendre

Une mauvaise exécution de ce Bandha mène à une forte constipation, et dérange le système digestif. Comme les organes génitaux sont également engagés dans l'exercice, une erreur d'exécution peut devenir la cause de sérieux désordres dans ce domaine. Donc, il est conseillé de procéder systématiquement et avec patience. Il est très dangereux d'exécuter ce Bandha sans la surveillance personnelle d'un gourou (maître) expérimenté.

Bénéfices thérapeutiques

Les systèmes nerveux central et sympathique sont stimulés à travers les terminaisons nerveuses liées aux sphincters anaux. Le Mula-Bandha a également un effet bienfaisant sur les nerfs situés dans la partie inférieure du tronc. Le pancréas et les glandes sexuelles sont régénérés.

Uddiyâna-Bandha
Contraction en creux de l'abdomen

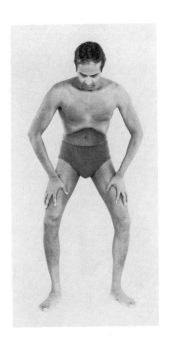 

En sanscrit *Uddiyâna* veut dire « élever », et *Bandha* « contraction ».

Technique

Debout, les pieds écartés d'environ 30 à 45 centimètres, les genoux à peine fléchis, appuyer fortement les mains sur les cuisses en penchant légèrement le corps en avant. Après une inspiration yoguique complète, expirer lentement et à fond. Puis ramener au maximum la paroi abdominale vers la colonne vertébrale, et en soulevant en même temps le diaphragme aussi haut que possible. Maintenir cette position quelque temps, puis inspirer lentement.

159

Pour débuter, répéter l'exercice trois à cinq fois, jusqu'à ce qu'on devienne capable de l'exécuter au moins six fois.

Précautions à prendre

Ceux qui souffrent de troubles abdominaux sérieux doivent éviter cet exercice.

Bénéfices thérapeutiques

On parvient à surmonter l'inertie du côlon, à prévenir la constipation, la dyspepsie et les affections du foie. En même temps, cet exercice est un remède excellent contre les descentes d'estomac, des intestins et de l'utérus. Il arrive à guérir la plupart des troubles gastriques et élimine les toxines du tube digestif. On garde une belle ligne et une taille fine, car cet exercice empêche le dépôt de graisse sur l'abdomen et à la taille.

Nauli

Isolement des muscles rectaux abdominaux

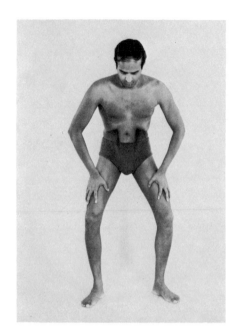

Technique

Debout, les jambes écartées, appuyer les mains sur les cuisses comme pour l'Uddiyâna-Bandha. Après une inspiration yoguique complète, expirer vigoureusement, puis ramener la paroi abdominale vers l'intérieur. Ensuite, contracter les muscles abdominaux centraux et les arquer en les poussant fortement en avant. C'est ce que l'on appelle *Madhyama-Nauli*.

Pour faire travailler seulement le muscle rectal droit, se pencher

162

lentement à droite et appuyer fortement la main droite sur la cuisse droite, la main gauche étant détendue. C'est la *Dakshina-Nauli*.

Lorsque cet exercice est exécuté de la même façon dans le sens opposé, c'est-à-dire à gauche, on l'appelle la *Vama-Nauli*.

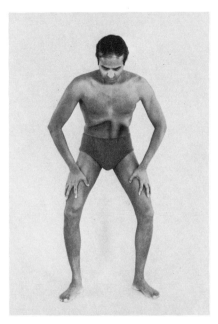

La dernière variation de la Nauli est la rotation des muscles. Il s'agit de transmettre les mouvements précédents en rythme circulaire aux muscles rectaux abdominaux isolés. Ce rythme circulaire s'obtient en décrivant lentement une rotation avec le bassin.

Précautions à prendre

Les mêmes que pour l'Uddiyâna-Bandha.

Bénéfices thérapeutiques

Les muscles abdominaux sont renforcés et régénérés. Tous les organes de la cavité abdominale reçoivent un massage automatique, leur activité est stimulée.

Viparîtakarani
Posture inversée

En sanscrit *Viparîta* signifie « inversé » et *Karani* « action ».

Cet exercice est appelé Viparîtakarani, parce que, lorsqu'on le pratique, le corps assume une position inversée : la tête en bas, les jambes en haut.

Technique

S'allonger sur le dos et faire une inspiration yoguique complète. Expirer et lever les jambes et les hanches en s'aidant des bras. Puis plier les bras et soutenir les hanches avec les mains de sorte que le corps repose sur les coudes, les omoplates et la tête. Les jambes forment un angle de 60 ou 70 degrés avec le sol. Pratiquer la respiration abdominale et diriger l'attention vers la glande thyroïde. On peut garder cette position aussi longtemps qu'elle apporte une détente. Puis baisser les jambes, les poser doucement sur le sol et se relaxer dans la position initiale.
Répéter cet exercice deux ou trois fois.

Précautions à prendre

Les personnes ayant une tension élevée doivent consulter un expert en Yoga. Avant de faire cet exercice, il faut se détendre complètement.

Bénéfices thérapeutiques

Dans le Hatha-Yoga la position inversée est considérée comme l'exercice le plus important pour la revitalisation du corps. Les trois principales postures inversées sont le Viparîtakarani, le Sarvangâsana et le Sîrshâsana. Entre les trois le Viparîtakarani est le plus facile à exécuter et a l'avantage de réunir les effets thérapeutiques des deux autres, mais en plus atténués. Cependant, il est particulièrement recommandé pour recharger l'organisme d'énergie nouvelle.

Dans cette position, le sang irrigue abondamment le cou, la gorge et la tête, par conséquent les glandes thyroïde et hypophyse ainsi que les centres nerveux dans le cerveau sont régénérés. Cette posture empêche la formation de rides et peut guérir les goitres.

Sarvangâsana
Posture complète

En sanscrit *Sarva* veut dire « entier » et *Anga* « corps.

Technique

S'allonger sur le dos et se relaxer complètement. Faire une inspiration yoguique complète, puis en expirant lever lentement d'un mouvement continu les jambes, les hanches et le tronc jusqu'à la verticale. Soulever les jambes (genoux tendus) et les hanches en appuyant les bras sur le sol, puis plier les coudes et soutenir le tronc avec les mains. Dans cette attitude le menton reste fortement appuyé sur le sternum. Pratiquer la respiration abdominale et garder la position aussi longtemps qu'elle ne suscite pas de tension. Diriger l'attention vers la glande thyroïde.
Pour revenir dans la position initiale, poser doucement le tronc, le bassin et les jambes au sol, puis se détendre. Répéter cet exercice deux ou trois fois.

Précautions à prendre

Toutes les précautions indiquées pour le Viparîtakarani sont également à observer pour cet Asana.

Bénéfices thérapeutiques

Il est bien connu que notre état de santé dépend, en grande partie, du bon fonctionnement de la glande thyroïde. Dans cette posture, elle est fortement irriguée de sang frais. Par conséquent, ayant un effet régénérateur sur la glande thyroïde, le Sarvangâsana peut maintenir l'organisme en parfaite santé. En pratiquant cet Asana régulièrement, les symptômes d'un vieillissement prématuré, provoqué par un dérèglement de la glande thyroïde, disparaissent. On retrouve sa vigueur juvénile, les rides s'estompent et le corps reste souple jusqu'à

un âge avancé. Cette posture est une bénédiction en cas de troubles ovariens et assure un bon fonctionnement des glandes sexuelles tant chez les hommes que chez les femmes. Il faut dire aussi que la posture inversée décongestionne les jambes et a un effet curatif sur les varices et les hémorroïdes.

En raison de son effet régénérateur sur le système nerveux, le Sarvangâsana – aussi bien que le Sîrshâsana – peut guérir les insomnies et les dépressions nerveuses. La seule différence entre le Sarvangâsana et le Sîrshâsana est dans la position de la tête. Ainsi, le premier a un effet plus prononcé sur la glande thyroïde, et le deuxième sur le cerveau. Comme les deux Asanas maintiennent le corps à la verticale, les effets thérapeutiques réalisés par le Sarvangâsana, en raison de cette position, le sont aussi par le Sîrshâsana.

Ardha-Sarvangâsana
Posture complète modifiée

Cette posture convient aux personnes ayant le dos faible. En fléchissant les jambes, les muscles dorsaux sont en partie relâchés.

Technique

Prendre la pose du Sarvangâsana, mais, lorsque le tronc et les jambes se trouvent en position verticale, plier et baisser les genoux, jusqu'à ce que les cuisses soient parallèles au sol.

Bénéfices thérapeutiques

Similaires à ceux du Sarvangâsana.

169

Matsyâsana
Posture du poisson

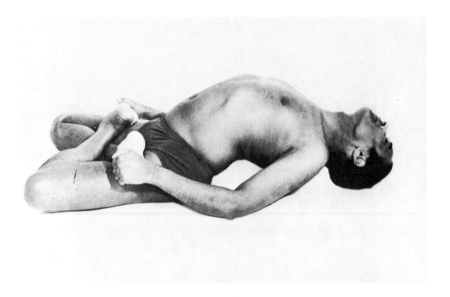

En sanscrit *Matsya* signifie « poisson ».

Cette posture est appelée Matsyâsana, parce qu'elle permet à l'homme qui l'observe bien de flotter à la surface de l'eau comme un poisson pendant un temps considérable.

Il est à conseiller de pratiquer cet Asana après le Sarvangâsana (posture complète) pour obtenir d'excellents résultats thérapeutiques.

Technique

S'asseoir en Padmâsana (posture du lotus) et faire une inspiration yoguique complète. Expirer et, en s'aidant des coudes, renverser le tronc en arrière. Bomber la poitrine et appuyer le haut du crâne sur le sol. Saisir les gros orteils. Respirer légèrement et diriger l'attention vers la glande thyroïde. Garder cette posture quelques secondes, puis revenir dans la position initiale et se détendre allongé sur le dos.

Précautions à prendre

Si la position du lotus est trop difficile, l'on peut exécuter cet Asana les jambes croisées en tailleur.

Bénéfices thérapeutiques

Cet exercice élargit la cage thoracique et permet une respiration plus profonde. Il assouplit la nuque et fait disparaître toute raideur douloureuse. En étirant à fond les muscles du cou, il provoque un abondant flot sanguin dans cette région et régénère la glande thyroïde ainsi que les amygdales. Cet Asana fortifie les muscles dorsaux et a un effet bienfaisant sur la colonne vertébrale.

Sîrshâsana
Posture de la tête

En sanscrit *Sîrsh* signifie « tête ».

Technique

S'agenouiller et poser les avant-bras sur le sol devant soi. Joindre les mains et croiser les doigts; les placer contre la tête dont la partie entre le sommet du crâne et le front doit toucher le sol. Puis soulever les hanches et approcher doucement les pieds de la tête, ce qui permet de redresser le torse. Soulever les pieds, en pliant les genoux, puis tendre les jambes, jusqu'à ce que le corps entier forme une ligne verticale. Respirer régulièrement et diriger l'attention vers le cerveau. Maintenir cette pose aussi longtemps qu'elle apporte une détente. Pour redescendre, plier les genoux, puis le corps à la hauteur des hanches et baisser les jambes, jusqu'à ce que les pieds et les genoux touchent le sol. Se reposer dans la position initiale, mais en appuyant le front sur les poings placés l'un sur l'autre par terre.

Pour commencer, on devrait garder cette posture pendant 5 secondes au maximum, puis la prolonger de 5 secondes par semaine, jusqu'à une durée de 3 minutes.

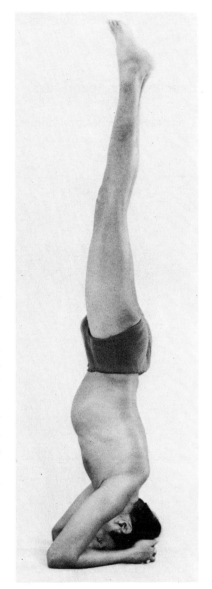

Précautions à prendre

Les personnes ayant une tension élevée, le cœur fragile, les capillaires des yeux faibles ou mal aux oreilles, ne doivent pas pratiquer cet Asana.

Si, pour une raison particulière, l'on est incapable d'exécuter cette posture, il ne faut pas s'en inquiéter; le Viparîtakarani et le Sarvangâsana, dont les effets thérapeutiques sont similaires, peuvent la remplacer.

Le Sîrshâsana ne doit jamais être pratiqué après un exercice violent.

Bénéfices thérapeutiques

Toutes les activités de l'homme, qu'elles soient physiques ou menta-

les, sont gouvernées par le cerveau. Le système nerveux, se répandant dans l'organisme, est en relation directe ou indirecte avec le cerveau. Par conséquent, l'afflux abondant de sang artériel au cerveau provoqué par le Sîrshâsana régénère non seulement ce dernier mais le système nerveux tout entier. Pour la même raison, cet Asana assure la bonne santé des organes sensoriels, dont le fonctionnement dépend de différents centres situés dans le cerveau. Il développe les facultés mentales, telles que la mémoire et le pouvoir de concentration, et même certaine facultés appelées occultes, comme par exemple la clairvoyance et la télépathie.

Il a également un effet bienfaisant sur le système endocrinien et le système digestif. Cet Asana décongestionne le foie et la rate en permettant au sang de circuler librement dans ces organes. Il peut soulager l'asthme d'origine nerveuse.

En pratiquant le Sîrshâsana nous éprouvons un sentiment d'équilibre et de bien-être. Il nous assure une parfaite santé, c'est pourquoi les Yogis l'appellent « le roi des Asanas ».

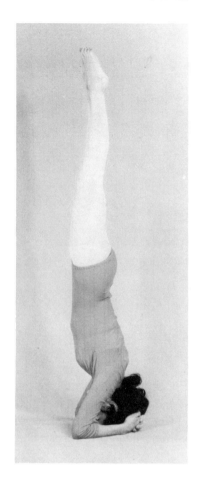

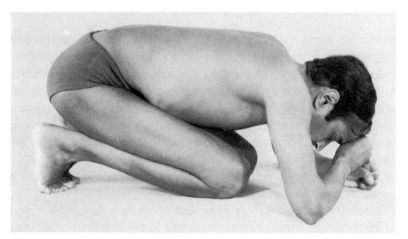

Savâsana
Posture de relaxation complète

En sanscrit *Sava* veut dire « cadavre ».

Cette posture est appelée ainsi parce que l'on est allongé sur le dos comme un mort, corps et esprit complètement relaxés.

Technique

Se coucher sur le dos, les bras le long du corps, les jambes allongées et légèrement écartées. Fermer les yeux et respirer lentement et profondément comme en respiration yoguique complète. Commencer par relaxer consciemment et successivement chaque partie et chaque muscle du corps : pieds, mollets, genoux, cuisses, abdomen, hanches, dos, mains, bras, épaules, cou, nuque, tête et visage. Il faut se laisser aller complètement, comme un chat, lorsqu'il se détend, ne plus être crispé. On doit avoir l'impression de ne plus sentir son corps.

Ensuite, il faut écarter toute pensée extérieure, de manière à faire le vide dans son cerveau.

La respiration doit être parfaitement rythmée – même durée pour l'inspiration que pour l'expiration – car la régularité du souffle est absolument indispensable pour une relaxation complète. Lorsqu'on a bien établi son propre rythme, il faut penser à absorber consciemment un flot de calme à chaque respiration. Pour parvenir à cette relaxation mentale, il est nécessaire de diriger son attention sur la respiration. En respirant correctement et en immobilisant consciemment le corps et l'esprit, on apprend à se détendre réellement et on se sent pénétré de repos, de paix et de plénitude.

Bénéfices thérapeutiques

Bien souvent, un corps crispé et une respiration irrégulière sont à l'origine d'une mauvaise santé. La respiration rythmée en Savâsana est donc extrêmement salutaire pour le corps entier, lorsqu'elle est enseignée correctement par un maître. En se reposant de la sorte, on évite toute agitation mentale. Le cœur et le système nerveux sont apaisés et la circulation du sang devient régulière.

Après une détente de quelques minutes en Savâsana, tout l'organisme est rechargé de Prâna, c'est-à-dire d'énergie nouvelle et de forces régénératrices. Un quart d'heure de ce repos permet d'éliminer les toxines accumulées dans le sang.

Les expériences faites à l'Institut de recherches sur le Yoga à Lonavla ont prouvé que l'on pouvait guérir, par la relation yogique, les tensions trop élevées, les insomnies, les troubles nerveux et certaines crises de dépression.

Asanas d'équilibre, de concentration et de stabilité mentale

Vrksâsana

Posture de l'arbre

Cet Asana aide non seulement à l'équilibre et à la stabilité mentale, mais il assouplit aussi les articulations des genoux.

Vatyanâsana

Posture de la tête de cheval

Cette posture assouplit les articulations des genoux et des pieds, fortifie les jambes et évite certains rhumatismes.

181

Phase II. Plier lentement la jambe, jusqu'à ce que l'on soit assis sur le talon, seule la pointe du pied touchant le sol.

Phase I. Debout.

Utthita Hasta Padangusthâsana

Posture du pied tenu

Cette posture fortifie les muscles des jambes.
Variante. Avec le pied posé à plat sur le sol.

Bakâsana
Posture du corbeau

Cet Asana renforce les muscles des bras et des épaules, fortifie les poignets et irrigue les vaisseaux sanguins du cou et du visage.

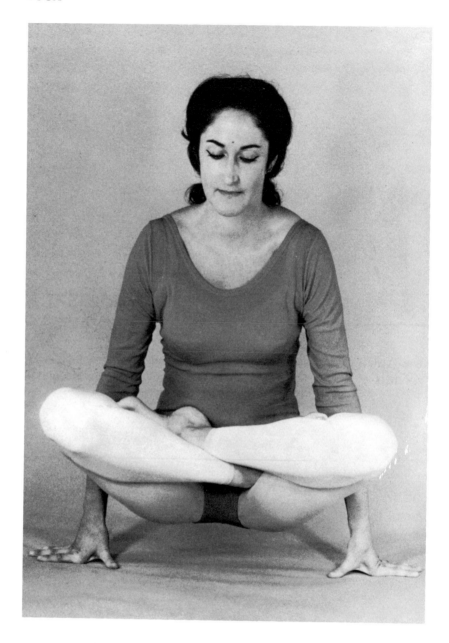

Utthita Padmâsana   *Posture du lotus élevé*

Cette posture fortifie les muscles abdominaux, les bras, les poignets et les mains.

Ekapada Angushtâsana

Posture du bout du pied

Cet Asana fortifie les jambes, les chevilles et les pieds.

Eka Hasta Bhujâsana

Posture de la jambe appuyée sur le bras

Cette posture renforce les muscles abdominaux et fortifie les bras, les poignets et les mains.

186

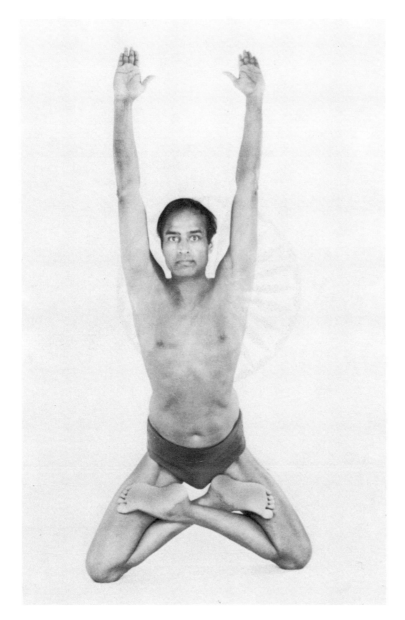

Parvatâsana

Posture de la montagne

Cet Asana fortifie les jambes. Il permet d'étirer à fond les muscles des cuisses et du tronc et d'éviter certains rhumatismes.

187

Asanas

Les variantes

Padmâsana

Posture du lotus, les mains jointes sur la tête

Cet Asana favorise l'harmonie du corps et de l'esprit.

Badha Padmâsana

Posture du lotus lié

Cette posture développe la cage thoracique.

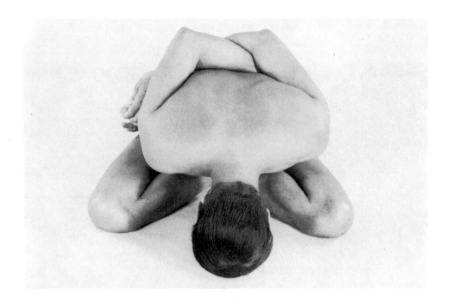

Yoga Mudra
en Badha Padmâsana
Posture du lotus lié, le corps penché en avant

Cette posture combat la paresse intestinale et assouplit tout le corps.

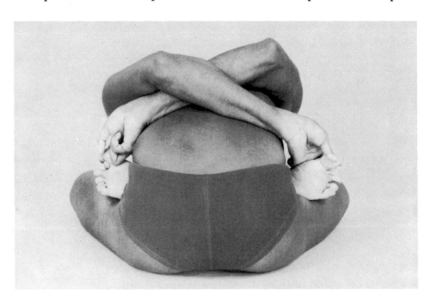

Chakrâsana

Posture de la roue

Cet Asana assouplit la colonne vertébrale et développe la cage thoracique. Il renforce les muscles de l'abdomen, des cuisses et des bras. Il régénère les reins, guérit les affections de la trachée et du larynx.

193

Ustrâsana
Posture du chameau

Les bénéfices thérapeutiques de cet Asana sont similaires à ceux du Chakrâsana.

Malâsana
Posture de la guirlande

Cette posture tonifie les organes abdominaux et soulage les douleurs du dos, particulièrement pendant la période de la menstruation chez les femmes. Elle aide à l'élongation des muscles dorsaux, à la souplesse des chevilles.

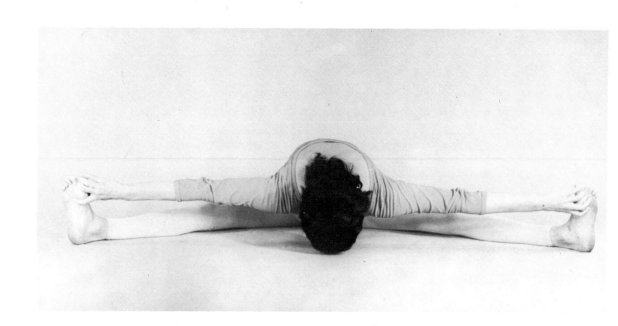

Bhunamanâsana

Posture

Cette posture permet l'élongation des muscles des jambes, l'étirement de la colonne vertébrale et le massage des centres du grand sympathique.

196

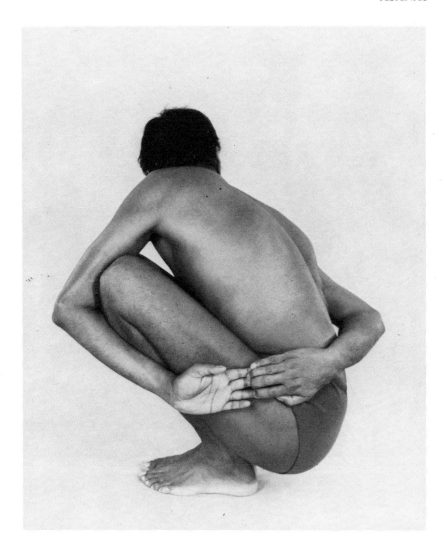

Pasâsana
Posture de la corde

Cet Asana assouplit les chevilles, fortifie la colonne vertébrale et élimine la graisse sur le ventre. Il est bénéfique pour le foie, la rate et le pancréas.

Kurmâsana

Posture de la tortue

Cet Asana a son importance dans la discipline spirituelle du Yoga. Il développe un sentiment de sérénité. Sur un plan purement physique, il a un effet bienfaisant sur la colonne vertébrale et le système nerveux. Il tonifie les organes abdominaux. Après l'avoir pratiqué, on se sent rafraîchi et rechargé d'énergie.

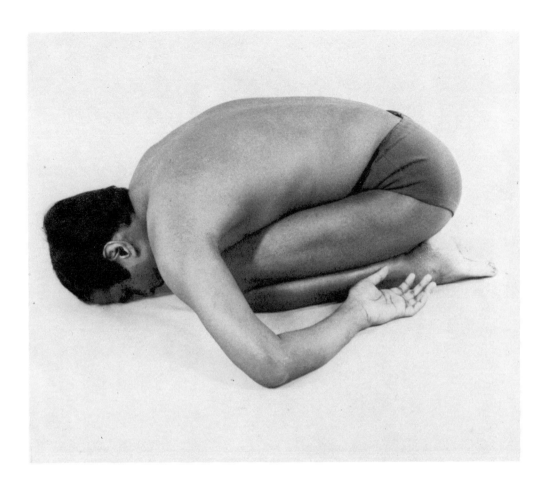

Relaxation du dos
en Yoga-Mudra

Cet Asana soulage les douleurs du dos et des reins et relaxe complètement la colonne vertébrale.

Ardha Chandrâsana

Posture de la demi-lune

Cette posture assouplit la colonne vertébrale et affine les hanches et la taille.

Konâsana
Posture de l'Angle

Cette posture assouplit la colonne vertébrale, les jointures des hanches; elle fait disparaître toute raideur dans les jambes. Les organes de la cavité abdominale sont tonifiés.

201

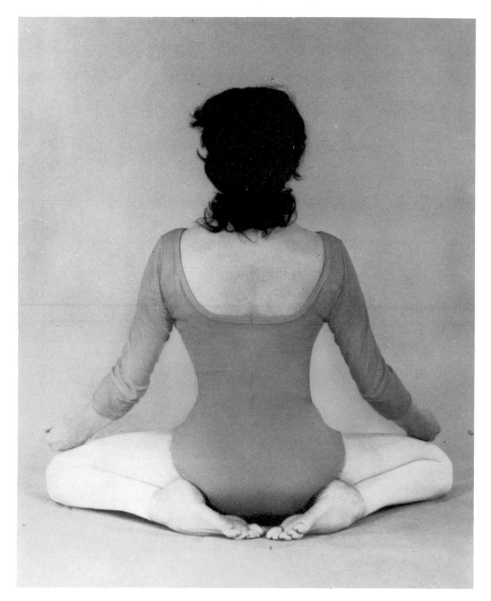

Mandukâsana
Posture de la grenouille

Cet Asana permet l'élongation des muscles des cuisses. Les jambes ainsi repliées permettent au sang d'affluer davantage vers l'estomac, ce qui facilite la digestion.

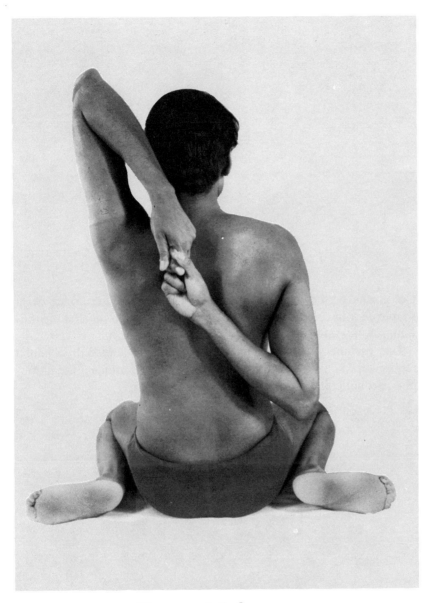

Gomukhâsana
Posture de la tête de vache

Cette posture développe les muscles des bras et augmente la capacité de la cage thoracique.

203

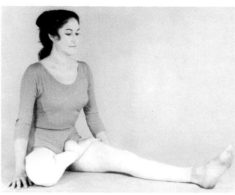

Janusirâsana
Posture de la tête posée sur le genou

Cet Asana permet l'étirement des muscles dorsaux, et donne de la souplesse à la colonne vertébrale et aux jambes. Il a un effet bienfaisant sur le système nerveux.

Une variante de cet exercice consiste à placer le pied de la jambe repliée sur la cuisse de l'autre jambe. L'Asana, pratiqué ainsi, assouplit particulièrement les chevilles et les genoux.

Parivrtta
Janusirâsana
Posture tête-genou, le corps étant penché de côté

Cette posture active la circulation du sang vers la colonne vertébrale. Elle soulage les douleurs du dos et fortifie le système nerveux.
Elle assouplit les jambes et elle permet d'éliminer les excédents graisseux autour de la taille.

205

Janusira
Merudandâsana
Posture tête-genou-colonne vertébrale

Cet Asana fortifie les muscles de l'abdomen et du cou. Il allonge les muscles qui maintiennent les vertèbres cervicales et dorsales.

Paripurna
Navâsana
Posture de la barque

Cette posture d'équilibre fortifie les muscles de l'abdomen et des cuisses. Elle permet d'éliminer les toxines des organes digestifs, et de tonifier le plexus solaire. Elle aide à développer la force de volonté.

Vajroli Mudra

Posture de la barque, les mains au sol

Cette posture d'endurance a des effets thérapeutiques similaires à ceux du Paripurna Navâsana.

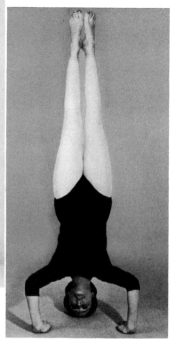

Salamba Sîrshâsana

Posture de la tête, les mains au sol

Les effets thérapeutiques de cet Asana sont similaires à ceux du Sîrshâsana.

Natarajâsana

Posture de Natarâja

Cette posture est dédiée au dieu Shiva qui est le Maître du temps, du rythme cosmique de la vie et la source du Yoga.

Sous son aspect de danseur cosmique Shiva est appelé Natarâja : dieu de la Danse.

Cette pose pleine de vigueur et de beauté assouplit le corps et développe le sens de l'équilibre.

210

Virâsana
Posture du héros

Cet Asana, utilisé généralement dans un but spirituel, favorise l'équilibre mental et la maîtrise de soi.

211

Comment conserver
nos yeux
en bonne santé

Les anciens écrits yoguiques ont souvent répété que les yeux sont des organes sensoriels qui normalement remplissent leur fonction sans effort et que ce que nous voyons est l'interprétation par l'esprit des images rétiniennes. On a remarqué que quand l'esprit est hypertendu, comme c'est le cas quand on a peur ou que l'on est tourmenté, on doit faire un effort supplémentaire pour voir, ce qui prouve bien que la vision est affectée. Ceci prouve également que la faculté de voir dépend principalement de l'esprit.

D'après le Yoga, l'homme possède deux sortes d'yeux : externes et internes. Les yeux externes voient le monde extérieur, alors que l'œil interne appartient au corps subtil et sert à la connaissance des forces invisibles. C'est celui que l'on appelle également le troisième œil.

Les yeux externes doués d'une vue normale voient sans jamais aucun effort. L'image reçue par les yeux est transmise au centre visuel situé dans la partie postérieure du cerveau et l'esprit interprète alors cette image. Par conséquent, la vision est un processus d'interprétation mentale. Elle dépend de cinq facteurs : l'objet à voir, l'organe de la vue, la fonction sensorielle, l'interprétation de l'esprit et l'attention de l'esprit intérieur. L'esprit sans les yeux peut imaginer des choses déjà vues, mais il ne peut se les représenter pour la première fois.

L'œil intérieur se situe entre les deux sourcils (Ajna Chakra). Chez la plupart des êtres humains cet œil dort mais il peut être réveillé et développé par le pouvoir de la volonté et la pratique du Yoga. La fonction de l'œil intérieur est de voir les objets invisibles, les actions et les réactions des forces de la nature. C'est l'œil intérieur qui permet d'accéder à la vraie connaissance d'une chose, d'une action ou d'une pensée. Avec l'éveil de l'œil intérieur l'intuition se développe, et cette faculté est extrêmement utile à l'homme aux niveaux physique, mental et spirituel en vue d'atteindre la perfection.

Comme nous l'avons déjà dit la vision dans l'espace extérieur est un processus complexe qui doit être parfaitement coordonné avec l'esprit. On sait par les expériences yoguiques que pour soulager l'esprit et les yeux d'une trop grande tension, il est très reposant de se détendre complètement en gardant les yeux fermés. Tout le monde peut faire l'expérience, quand on a les yeux fatigués, il faut les fermer simplement et se détendre. Cela les repose et éclaircit la vision.

D'après le Hatha-Yoga il y a trois causes aux désordres fonctionnels des yeux : le mauvais usage, le non-usage et le trop d'usage.

Mauvais usage

Il a été observé que l'on ne prête pas une attention suffisante à la manière dont on lit ou on écrit. Très peu de gens savent à quelle distance correcte il faut tenir un livre quand on lit. Non seulement ils ne connaissent pas cette distance mais ils ne cillent même pas en lisant toute une page. C'est ainsi que l'on fatigue ses yeux et que l'on ressent des migraines très douloureuses.

Quand on lit, il faut ciller des yeux au moins à chaque ligne et quand on regarde un objet éloigné, il faut déplacer son regard d'un point à l'autre et ciller des yeux.

Cillement

Il faut prendre pour principe de tenir le livre à la distance où les caractères apparaissent clairement sans que l'on ait à fournir le moindre effort. La distance normale pour les jeunes gens est de 25 à 30 centimètres. Il ne faut pas également oublier de ciller entre 5 et 10 fois par minute. Il ne faut pas confondre ciller et cligner. Dans le cillement la paupière supérieure de l'œil s'abaisse légèrement et se relève, ce qui est très délassant, alors que dans le clignement la paupière supérieure de l'œil touche la paupière inférieure, ce qui est fatigant. En corrigeant ces deux mauvaises habitudes on peut lire pendant des heures sans éprouver la moindre gêne.

On a remarqué que certaines personnes ont également de mauvaises habitudes quand elles écrivent. Tout en écrivant elles essayent en même temps de lire ce qu'elles ont déjà écrit, ce qui est une mauvaise façon d'utiliser les yeux et de plus très fatigant. Il faut au contraire suivre des yeux le mouvement de la plume. Pour se défaire de la mauvaise habitude de lire ce que l'on vient d'écrire, on peut cacher les lettres et les mots déjà écrits avec une feuille de papier.

Une autre mauvaise habitude pour les yeux est de fixer consciemment ou inconsciemment des objets sans ciller ou même remuer les yeux. La bonne méthode pour regarder un objet ou une chose est de remuer légèrement les yeux et de ciller en douceur afin d'éviter une trop forte tension.

Non-usage

On sait par expérience qu'en restant quelques temps dans une chambre obscure, les yeux deviennent sensibles à la lumière brillante. On a également observé que de nombreuses personnes n'utilisent pas normalement leurs yeux. Elles agissent ainsi soit par négligence, soit par inconscience jusqu'à ce qu'elles s'en rendent compte. En délassant l'esprit et les yeux, ceux-ci sont à nouveau en mesure de fonctionner presque normalement.

Trop d'usage

Le fait de lire sans arrêt pendant des heures fatigue excessivement les yeux, et certaines personnes deviennent incapables, pendant quelque temps après, de voir nettement des objets éloignés. Elles doivent écarquiller les yeux et régler leur foyer optique. C'est une des façons dont la myopie se développe. Fixer les yeux sur des objets distants ou proches un long moment sans relâche et sans ciller, c'est ce que l'on appelle le trop d'usage.

Relaxation des yeux

Fermez doucement vos yeux et recouvrez-les légèrement avec les paumes de vos mains, vos coudes reposant sur vos genoux. Laissez la chaleur de vos paumes gagner vos globes oculaires. Assurez-vous que vos yeux sont bien couverts, à l'abri de toute lumière. Pour obtenir de bons résultats il ne faut pas que votre tête penche en arrière. Votre nuque et votre colonne vertébrale doivent être maintenues toutes droites, mais avec souplesse et détente, afin de ne surmener ni vos nerfs ni vos muscles. Tout en respirant suivant le rythme de la respiration yoguique complète, détendez et laissez aller vos yeux comme s'ils allaient tomber de leur orbite. Restez dans cette position pendant quelque temps, puis effleurez légèrement vos yeux fermés de vos paumes chaudes. Puis ouvrez doucement vos yeux. Vous ressentirez immédiatement les effets apaisants et vous y verrez avec netteté. En Inde, dès l'Antiquité, les Yogis ont toujours recouru aux paumes de leurs mains pour accroître les forces magnétiques, car de nombreux centres nerveux se trouvant dans les paumes des mains, celles-ci possèdent donc un grand pouvoir guérisseur.

Exercices oculaires

Ces exercices peuvent être pratiqués soit en Viparîtakarani (posture inversée), soit en Padmâsana (posture du lotus) ou assis en tailleur.

Technique

Premier exercice : lorsqu'on a pris la posture inversée ou celle du lotus, au bout de quelques secondes, regarder d'abord droit devant soi, puis, en inspirant, tourner les yeux à droite, aussi loin que possible et les ramener en expirant à leur position initiale. Refaire les mêmes mouvements à gauche. Inspirer de nouveau, lever les yeux en regardant vers le haut et les ramener, en expirant, à leur position première. Faire les mouvements inverses vers le bas.

Répéter deux ou trois fois au plus. S'arrêter au premier signe de fatigue et se reposer.

Deuxième exercice : consiste à décrire un cercle avec les yeux. Il faut, en inspirant, tourner les yeux à droite, puis en haut, et en expirant, à gauche et en bas. Faire ensuite les mouvements inverses. Répéter l'exercice deux ou trois fois au plus. Ne pas aller jusqu'à la fatigue.

Troisième exercice : fixer le regard droit devant soi; inspirer et ouvrir les yeux au maximum. Puis expirer et fermer les yeux en serrant fortement les paupières quelques instants.

Répéter deux ou trois fois, puis se détendre.

Tratak

ou
exercices pour l'augmentation
de l'acuité visuelle

Tratak est le mot qui signifiait la fixation centrale en ancien sanscrit. On pratique cet exercice pour parfaire la vue et améliorer une vision défectueuse. Le point noir est la partie la plus sensible de la rétine et c'est par là que l'œil voit le mieux. La pratique du Tratak ou de la fixation centrale ne développe pas seulement la sensibilité de ce point, mais accroît également l'acuité visuelle et favorise la circulation sanguine.

La pratique

Préparer un disque blanc de 14 cm de diamètre et dessiner dessus cinq points noirs d'après le modèle ci-contre.

Le poser à une distance de 30 cm à 3 m.

1. – Fixer les yeux sur le point noir central du cercle pendant quelque temps sans effort. Répéter cet exercice deux, trois fois.

2. – Fixer d'abord les yeux sur le point noir central pendant quelques secondes. Déplacer ensuite le regard et fixer le point situé à droite, puis revenir au point central pendant quelques instants. Ensuite déplacer le regard sur le point à gauche. Toujours en repassant par le point central regarder pendant quelques secondes le point noir supérieur, puis le point noir inférieur du cercle. Veiller à déplacer en même temps la tête et les yeux et ciller légèrement. Répéter cet exercice deux ou trois fois.

3. – En respirant régulièrement, lever les yeux sur un point fixé entre les sourcils (Bhrû-madhya-drishti). S'arrêter au premier signe de fatigue et se détendre. Ne pas répéter l'exercice plus de deux ou trois fois.

4. – En respirant régulièrement, fixer le regard sur le bout du nez (Nâsâgra-drishti). Après quelques instants se détendre. Répéter cet exercice deux ou trois fois au plus.

Bénéfices thérapeutiques

Ces exercices sont très bénéfiques pour renforcer la vue. Ils permettent de conserver l'acuité visuelle jusqu'à un âge avancé.

Remarque importante

Les deux derniers exercices, le Bhrû-madhya-drishti (regard fixé entre les sourcils) et le Nâsâgra-drishti (regard fixé sur le bout du nez) sont particulièrement indiqués pour développer le pouvoir de concentration.

Il ne faut les pratiquer que sous la direction d'un maître compétent.

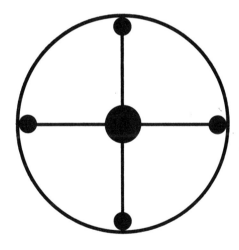

TROISIÈME PARTIE

« *La plupart de nos maux proviennent
de la faiblesse de notre corps.* »

SWAMI VIVEKANANDA

La valeur curative
du Prânâyâmâ
et des Asanas

On trouvera ci-dessous une courte liste des différents exercices du Prânâyâma et des Asanas, correspondant à divers troubles et maladies aussi bien fonctionnels qu'organiques. Il est absolument indispensable d'être guidé par un maître compétent et expérimenté, en vue d'adapter ces exercices, basés sur une longue expérience yoguique, aux besoins propres de chacun.

ACIDITÉ

Prânâyâma

Bhastrikâ (le soufflet, p. 94).

Asanas

Uddiyâna (contraction en creux de l'abdomen, p. 159), Paschimottânâsana (étirement du dos et des jambes, p. 142), Vakrâsana (torsion de la colonne vertébrale, p. 134), Mayûrâsana (posture du paon, p. 155), Trikonâsana (posture du triangle, p. 136), Viparîtakarani (posture inversée, p. 164), Savâsana (posture de relaxation complète, p. 176).

ALLERGIE

Prânâyâma

Respiration rythmée (p. 84), Nadi-Sodhana (respiration alternée, p. 88).

Asanas

Yoga-Mudra (symbole du Yoga, p. 123), Uddiyâna (contraction en creux de l'abdomen, p. 159), Ardha-Matsyendrâsana (posture de Matsyendra simplifiée, p. 130), Sarvangâsana (posture complète, p. 166), Matsyâsana (âsana du poisson, p. 170), Savâsana (posture de relaxation complète, p. 176).

ARTHRITE

Prânâyâma

Respiration rythmée (p. 84), Nadi-Sodhana (respiration alternée, p. 88).

Asanas

Trikonâsana (posture du triangle, p. 136), Padmâsana (posture du lotus, p. 116), Salabhâsana (posture de la sauterelle, p. 150), Dhanu-râsana (posture de l'arc, p. 153), Vakrâsana (torsion de la colonne vertébrale, p. 134), Viparîtakarani (posture inversée, p. 164), Savâ-sana (posture de relaxation complète, p. 176).

ANÉMIE

Prânâyâma

Ujjâyî (respiration qui renouvelle l'énergie p. 91), Nadi-Sodhana (respiration alternée, p. 88).

Asanas

Paschimottânâsana (étirement du dos et des jambes, p. 142), Ardha-Matsyendrâsana (posture de Matsyendra simplifiée, p. 130), Sarvangâsana (posture complète, p. 166), Sîrshâsana (posture de la tête, p. 172), Savâsana (posture de relaxation complète, p. 176).

ASTHME

Prânâyâma

Respiration rythmée (p. 84), Nadi-Sodhana (respiration alternée sans rétention du souffle, p. 88).

Asanas

Vakrâsana (torsion de la colonne vertébrale, p. 134), Paschimottânâsana (étirement du dos et des jambes, p. 142), Viparîtakarani (posture inversée, p. 164), Savâsana (posture de relaxation complète, p. 176).

TROUBLES CARDIAQUES

Prânâyâma

Respiration rythmée (p. 84), Nadi-Sodhana (respiration alternée sans rétention de souffle, p. 88).

Asanas (selon les cas)

Uddiyâna (contraction en creux de l'abdomen, p. 159), Trikonâsana (posture du triangle, p. 136), Sirshâsana (posture de la tête, p. 172), Savâsana (posture de relaxation complète, p. 176).

CONSTIPATION

Prânâyâma

Bhastrikâ (le soufflet, p. 94).

Asanas

Uddiyâna (contraction en creux de l'abdomen, p. 159), Trikonâsana (posture du triangle, p. 136), Vakrâsana (torsion de la colonne vertébrale, p. 134), Paschimottânâsana (étirement du dos et des jambes, p. 142), Sarvangâsana (posture complète, p. 166), Nauli (isolement des muscles rectaux abdominaux, p. 162), Sîrshâsana (posture de la tête, p. 172), Supta-Vajrâsana (posture pelvi-dorsale, p. 128).

DIABÈTE

Prânâyâma

Respiration rythmée (p. 84), Nadi-Sodhana (respiration alternée avec rétention du souffle, p. 88).

Asanas

Uddiyâna (contraction en creux de l'abdomen, p. 159), Paschimottâ-nâsana (étirement du dos et des jambes, p. 142), Ardha-Matsyendrâ-sana (posture de Matsyendra simplifiée, p. 130), Sarvangâsana (posture complète, p. 166), Savâsana (posture de relaxation complète, p. 176).

DIARRHÉES

Prânâyâma

Nadi-Sodhana (respiration alternée sans rétention du souffle, p. 88).

Asanas

Viparîtakarani (posture inversée, p. 164), Savâsana (posture de relaxation complète, p. 176).

ÉPUISEMENT

Prânâyâma

Respiration rythmée (p. 84), Nadi-Sodhana (respiration alternée, p. 88).

Asanas

Halâsana (posture de la charrue, p. 139), Vakrâsana (torsion de la colonne vertébrale, p. 134), Paschimottânâsana (étirement du dos et des jambes, p. 142), Sarvangâsana (posture complète, p. 166), Matsyâsana (âsana du poisson, p. 170), Sîshâsana (posture de la tête, p. 172), Savâsana (posture de relaxation complète, p. 176).

HÉMORROIDES

Prânâyâma

Respiration rythmée (p. 84), Respiration qui fortifie les nerfs (p. 99).

Asanas

Uddiyâna (contraction en creux de l'abdomen, p. 159), Viparîtakarani (posture inversée, p. 164), Sarvangâsana (posture complète, p. 166), Matsyâsana (âsana du poisson, p. 170), Sîrshâsana (posture de la tête, p. 172), Savâsana (posture de relaxation complète, p. 176).

HERNIE

Prânâyâma

Respiration rythmée (p. 84), Nadi-Sodhana (respiration alternée, p. 88).

Asanas

Badhakonâsana (Yoga-Mudra les pieds joints, p. 126), Uddiyâna (contraction en creux de l'abdomen, p. 159), Sarvangâsana (posture complète, p. 166), Savâsana (posture de relaxation complète, p. 176).

HYPERTENSION

Prânâyâma

Respiration rythmée (p. 84), Nadi-Sodhana (respiration alternée sans rétention du souffle, p. 88).

Asanas

Padmâsana (posture du lotus, p. 116), Viparîtakarani (posture inversée, p. 164), Savâsana (posture de relaxation complète, p. 176).

HYPOTENSION

Prânâyâma

Respiration rythmée (p. 84), Bhastrikâ (le soufflet, p. 94).

Asanas

Siddhâsana (posture de l'adepte, p. 119), Halâsana (posture de la charrue, p. 139), Paschimottânâsana (étirement du dos et des jambes, p. 142), Sarvangâsana (posture complète, p. 166), Sîrshâsana (posture de la tête, p. 172), Savâsana (posture de relaxation complète, p. 176).

IMPUISSANCE

Prânâyâma

Respiration rythmée (p. 84), Kumbhaka (avec rétention du souffle, p. 86). Nadi-Sodhana (respiration alternée, p. 88).

Asanas

Yoga-Mudra (le symbole du Yoga, p. 123), Uddiyâna (contraction en creux de l'abdomen, p. 159), Mula-Bandha (contraction des muscles pelviens, p. 158), Dhanurâsana (posture de l'arc, p. 153), Ardha-Matsyendrâsana (posture de Matsyendra simplifiée, p. 130), Paschimottânâsana (étirement du dos et des jambes, p. 142), Sarvangâsana (posture complète, p. 166), Matsyâsana (âsana du poisson, p. 170), Sîrshâsana (posture de la tête, p. 172), Savâsana (posture de relaxation complète, p. 176).

INDIGESTION

Prânâyâma

Bhastrikâ (le soufflet, p. 94), Nadi-Sodhana (respiration alternée, p. 88).

Asanas

Uddiyâna (contraction en creux de l'abdomen, p. 159), Bhujangâsana (posture du cobra, p. 147), Salabhâsana (posture de la sauterelle, p. 150), Dhanurâsana (posture de l'arc, p. 153), Trikonâsana (posture du triangle, p. 136), Paschimottânâsana (étirement du dos et des jambes, p. 142), Sarvangâsana (posture complète, p. 166), Savâsana (posture de relaxation complète, p. 176).

MALADIES DU FOIE

Prânâyâma

Respiration rythmée (p. 84), Nadi-Sodhana (respiration alternée, p. 88).

Asanas

Uddiyâna (contraction en creux de l'abdomen, p. 159), Badhakonâsana (Yoga-Mudra les pieds joints, p. 126), Mayûrâsana (posture du paon, p. 155), Paschimottânâsana (étirement du dos et des jambes, p. 142), Viparîtakarani (posture inversée, p. 164), Savâsana (posture de relaxation complète, p. 176).

MALADIES DES REINS

Prânâyâma

Respiration rythmée (p. 84), Nadi-Sodhana (respiration alternée, p. 88).

Asanas

Yoga-Mudra (le symbole du Yoga, p. 123), Uddiyâna (contraction en creux de l'abdomen, p. 159), Bhujangâsana (posture du cobra, p. 147), Salabhâsana (posture de la sauterelle, p. 150), Dhanurâsana (posture de l'arc, p. 153), Vakrâsana (torsion de la colonne vertébrale, p. 134), Paschimottânâsana (étirement du dos et des jambes, p. 142), Sarvangâsana (posture complète, p. 166), Savâsana (posture de relaxation complète, p. 176).

MAUX DE TÊTE

Prânâyâma

Respiration rythmée (p. 84), Nadi-Sodhana (respiration alternée, p. 88).

Asanas

Viparîtakarani (posture inversée, p. 164), Savâsana (posture de relaxation complète, p. 176).

OBÉSITÉ OU EXCÈS DE POIDS

Prânâyâma

Bhastrikâ (le soufflet, p. 94), Ujjâyî (respiration qui renouvelle l'énergie, p. 91), Kapalabhati (respiration qui vivifie le corps, p. 92).

Asanas

Uddiyâna (contraction en creux de l'abdomen, p. 159), Paschimottâ-nâsana (étirement du dos et des jambes, p. 142), Trikonâsana (posture du triangle, p. 136), Vakrâsana (torsion de la colonne verté-brale, p. 134), Sarvangâsana (posture complète, p. 166), Sîrshâsana (posture de la tête, p. 172), Dhanurâsana (posture de l'arc, p. 153).

PARALYSIE

Prânâyâma

Respiration rythmée (p. 84), Nadi-Sodhana (respiration alternée, p. 88), Ujjâyî (respiration qui renouvelle l'énergie, p. 91).

Asanas (selon les cas)

Bhujangâsana (posture du cobra, p. 147), Salabhâsana (posture de la sauterelle, p. 150), Dhanurâsana (posture de l'arc, p. 153), Halâsana (posture de la charrue, p. 139), Viparîtakarani (posture inversée, p. 164), Savâsana (posture de relaxation complète, p. 176).

RHUMATISME

Prânâyâma

Respiration rythmée (p. 84), Nadi-Sodhana (respiration alternée, p. 88).

Asanas

Trikonâsana (posture du triangle, p. 136), Bhujangâsana (posture du cobra, p. 147), Salabhâsana (posture de la sauterelle, p. 150), Dhanurâsana (posture de l'arc, p. 153), Ardha-Matsyendrâsana (posture de Matsyendra simplifiée, p. 130), Sarvangâsana (posture complète, p. 166), Savâsana (posture de relaxation complète, p. 176).

RHUME

Prânâyâma

Bains de nez (p. 303), respiration rythmée (p. 84).

Asanas

Viparîtakarani (posture inversée, p. 164), Sarvangâsana (posture complète, p. 166), Savâsana (posture de relaxation complète, p. 176).

SINUSITE

Prânâyâma

Nadi-Sodhana (respiration alternée, p. 88), Surya Bhedana (p. 95).

Asanas

Viparîtakarani (posture inversée, p. 164), Savâsana (posture de relaxation complète, p. 176).

STÉRILITÉ

Prânâyâma

Respiration rythmée (p. 84), Nadi-Sodhana (respiration alternée, p. 88), Ujjâyî (respiration qui renouvelle l'énergie, p. 91).

Asanas

Yoga-Mudra (le symbole du Yoga, p. 123), Supta-Vajrâsana (posture pelvi-dorsale, p. 128), Mula-Bandha (contraction des muscles pelviens, p. 158), Paschimottânâsana (étirement du dos et des jambes, p. 142), Vakrâsana (torsion de la colonne vertébrale, p. 134), Sarvangâsana (posture complète, p. 166), Sîrshâsana (posture de la tête, p. 172), Dhanurâsana (posture de l'arc, p. 153).

TUBERCULOSE
(si la maladie en est encore à ses débuts)

Prânâyâma

Respiration rythmée (p. 84), Nadi-Sodhana (respiration alternée, p. 88).

Asanas

Viparîtakarani (posture inversée, p. 164), Sarvangâsana (posture complète, p. 166), Sîrshâsana (posture de la tête, p. 172), Savâsana (posture de relaxation complète, p. 176).

ULCÈRE
(à ses débuts)

Prânâyâma

Respiration rythmée (p. 84), Ujjâyî (respiration qui renouvelle l'énergie, p. 91), Nadi-Sodhana (respiration alternée, p. 88).

Asanas

Uddiyâna (contraction en creux de l'abdomen, p. 159), Paschimottâ-nâsana (étirement du dos et des jambes, p. 142), Ardha-Matsyendrâsana (posture de Matsyendra simplifiée, p. 130), Sarvangâsana (posture complète, p. 166), Sîrshâsana (posture de la tête, p. 172), Savâsana (posture de relaxation complète, p. 176).

TROUBLES DE LA VESSIE

Prânâyâma

Respiration rythmée (p. 84), Nadi-Sodhana (respiration alternée, p. 88).

Asanas

Uddiyâna (contraction en creux de l'abdomen, p. 159), Badhakonâsana (Yoga-Mudra les pieds joints, p. 126), Mula-Bandha (contraction des muscles pelviens, p. 158), Paschimottânâsana (étirement du dos et des jambes, p. 142), Viparîtakarani (posture inversée, p. 164), Savâsana (posture de relaxation complète, p. 176).

VARICES

Prânâyâma

Nadi-Sodhana (respiration alternée, p. 88), Bhastrikâ (le soufflet, p. 94).

Asanas

Padmâsana (posture du lotus, p. 116), Yoga-Mudra (le symbole du Yoga, p. 123), Vakrâsana (torsion de la colonne vertébrale, p. 134), Viparîtakarani (posture inversée, p. 164), Sarvangâsana (posture complète, p. 166), Matsyâsana (âsana du poisson, p. 170), Sîrshâsana (posture de la tête, p. 172), Savâsana (posture de relaxation complète, p. 176).

QUATRIÈME PARTIE

« Notre développement personnel est influencé par chacune
de nos pensées et chacun de nos actes. »

DHAMMAPADA

Thérapie yoguique
des diverses maladies
d'origine psychique

L'être humain se compose d'un corps, d'un esprit et d'une âme. L'esprit englobe les différents sens et les perceptions. Il est le siège de la vie émotive comme de la vie instinctive. L'âme est le principe immortel en nous, la source de notre conscience. Le corps est le temple de notre âme et l'instrument par lequel elle se manifeste; par conséquent, le conserver en parfaite santé est primordial. Pour être en bonne forme, nous devons commencer par nous occuper de la conscience intérieure, et cela n'est possible qu'au moyen de processus mentaux. La santé parfaite du corps exige que nos émotions soient à l'unisson de la force de vie qui réside en chacun de nous.

Nous devons savoir que tout état mental ou émotif, s'il est négatif, est destructeur pour le corps, alors que, s'il est positif, il tend à guérir le corps et à le maintenir en parfaite santé. Derrière chaque maladie, il y a un état désordonné de l'esprit, car le corps est la projection de notre conscience; nos pensées, nos sentiments, nos croyances et nos attitudes agissent sur lui. Ainsi, une pensée, un sentiment ou une parole négative sont l'équivalent d'un ordre qui serait donné au subconscient, lequel provoquerait une crise.

Chaque fois que nous maîtrisons notre attitude mentale et émotive et la transformons d'attitude négative en attitude positive, nous pouvons remédier à une condition physique défavorable. Par exemple,

237

lorsque nous nous rendons maître de nos craintes et les transformons en assurance, nous sommes pleins d'espoir, de dynamisme et de confiance en nous-mêmes. Pareillement, les soucis peuvent être maîtrisés et transformés en sérénité, la jalousie en bienveillance, la tension en relaxation, l'hostilité en amour, la déception en compréhension, l'agitation en tranquillité, l'égoïsme en altruisme, la rapacité en générosité, la condamnation en tolérance, la nervosité en calme, la frustration en moyen d'expression, la tristesse en joie, et ainsi de suite, ce qui nous aide à obtenir une santé parfaite et le bonheur intérieur.

On peut donc démontrer clairement le lien étroit qui existe entre nos attitudes mentales et l'état général. Au cours de ces dernières années, la science médicale occidentale nous a démontré, de façon probante, qu'il existe une corrélation étroite entre l'état de l'esprit et l'état physique. Mais, la plupart des personnes ne font pas encore ce rapprochement.

Je voudrais rendre mes lecteurs conscients de ces faits et les aider à développer en eux ces attitudes et des états d'esprit qui libéreront les forces naturelles intérieures, favorisant la santé et le bonheur. Nous devons concevoir qu'une personne ne peut être guérie d'une maladie que lorsqu'elle change son état d'esprit. *Les effets ne disparaîtront que lorsque la cause aura été éliminée.*

Le chirurgien, le médecin peuvent sauver la vie et calmer la douleur, mais le malade ne peut être définitivement sauvé que s'il coopère consciemment à sa guérison en utilisant les forces naturelles de la vie qu'il détient en lui.

La puissance remarquable de l'autosuggestion positive

Dans bien des cas, des maladies pourraient être guéries par simple autosuggestion positive. Lorsque nous sommes tendus, nous nous fatiguons, nous devenons nerveux, irritables, et nous pouvons même tomber malades. Les pensées et les émotions non maîtrisées sont un facteur de déséquilibre qui peut être à l'origine de désordres se manifestant dans le corps. Il est donc bien évident que, pour obtenir une guérison, il faut traiter la cause latente et souvent larvée de la maladie. Mais l'ignorance ou le scepticisme de certains malades les rendent incapables d'utiliser ce moyen remarquable; leur optique matérialiste et leur incapacité à admettre ce genre de méthode et même leur aversion à l'égard de celle-ci les privent du secours de cette thérapeutique.

La foi est un autre moyen essentiel d'obtenir la guérison. Je suis en mesure de citer de nombreux cas de maladies qui, en Inde, ont été guéries par la seule force opérante de la foi. Mais cela n'est pas le privilège de l'Inde. En France, les miracles de Lourdes sont bien connus et des incurables y ont aussi recouvré la santé. On ne peut nier le fait que de tels miracles et de telles réponses aux prières existent grâce à la puissance de conviction et de suggestion affirmatives. Cela prouve que « l'homme est un réceptacle de l'océan infini de puissance » (SWAMI VIVEKANANDA). La vérité tangible derrière ce phénomène est que la force de suggestion et le pouvoir de la foi sont si intenses qu'ils pénètrent à l'intérieur de la conscience de l'individu, ce qui amène une réaction immédiate et provoque les résultats désirés. Tous ceux qui, à travers les siècles, se sont consacrés à la culture des pouvoirs de l'esprit considèrent avec raison que la force mentale, lorsqu'elle est dirigée d'une façon positive, est très efficace dans le traitement des maladies, même chez ceux qui résistent aux thérapeutiques allopathiques.

Il en va de même lorsque l'état maladif n'est pas apparemment d'origine mentale, mais dû à une cause virale ou microbienne, ou quand une intervention chirurgicale est indispensable. Même en de pareils cas le patient guérit rapidement si l'attitude morale ou mentale demeure positive et optimiste.

On croyait, récemment encore, que la maladie avait uniquement une origine physique. Les progrès de la psychanalyse ont démontré que la plupart des maux physiques sont dus à quelque perturbation d'ordre mental ou émotif; cette découverte porte maintenant un nom : médecine psychosomatique.

En grec, *Psyché* veut dire « âme » et *Soma,* « corps ». Récemment, dans plusieurs cliniques spécialisées en médecine psychosomatique, on a découvert qu'une tension émotive, lorsqu'elle ne peut s'exprimer en paroles ou en actions, prend la forme de maladie.

> « Si l'esprit est la source de tous les maux physiques dont l'origine est psychique et émotive, il peut donc être aussi la source de la guérison. »

Cette vérité était connue en Inde, où le Yoga existait, il y a déjà plusieurs milliers d'années.

239

On a observé à la lumière des expériences yoguiques que, si l'esprit domine nos émotions et si notre conscience se développe de façon égale dans les diverses directions requises, l'énergie se trouve uniformément distribuée dans les différents centres mentaux et nerveux, et le corps se maintient en parfaite santé : les courants positif et négatif qui le vivifient se trouvant équilibrés.

En nous, l'énergie vitale est en constante activité. Elle nous apporte l'équilibre et, aussi longtemps que nous vivons de façon naturelle, elle nous maintient en bonne santé. La maladie n'est autre que le résultat d'un mode de vie anti-naturel et d'un déséquilibre d'esprit. Par la pratique régulière du Yoga, c'est-à-dire des Asanas, du Prânâyâma et de la discipline mentale, nous apprenons à utiliser, à emmagasiner et accroître au maximum la libre circulation de cette énergie vitale dans notre corps.

Mais, dès que cette énergie transmise par les deux courants, positif et négatif, se trouve dirigée dans une seule direction, soit sur le plan mental, soit sur le plan physique, nous ouvrons la porte à beaucoup de désordres. En général, il a été observé que ceux qui se livrent constamment à un travail intellectuel intense, négligeant leur corps, sont parfois très faibles physiquement et, de ce fait, peu résistants. D'autre part, ceux qui ne travaillent que sur le plan physique ont souvent l'esprit alourdi. Ceci démontre clairement que l'équilibre d'un individu est perturbé lorsque sa conscience se désaxe.

Lorsqu'une personne se sert de la force de son esprit dans une mauvaise direction, son corps, tôt ou tard, tombera malade, car, à cause de son attitude négative, elle doute de tout et n'a confiance, ni en autrui, ni en elle-même. Elle a peur de tout et voit le mal partout. Elle gâche ainsi son existence, tout en cherchant de l'aide de partout. Cela prouve que la force négative de l'esprit neutralise complètement l'énergie positive. *Il ne faut donc jamais se montrer négatif en pensées, en paroles et en actions. Toutes nos attitudes passives et négatives envers la vie doivent nécessairement être transformées en attitudes positives qui seront vitales et dynamiques et qui favoriseront toutes nos activités.*

Prenons comme exemple : *l'insomnie.*

C'est vraiment le mal le plus répandu et le plus banal de notre époque. Les barbituriques, les tranquillisants et les somnifères, même pris sous contrôle médical, ne donnent pas de bons résultats. Au contraire, ils sont déprimants, non seulement pour le système respiratoire, mais pour le système nerveux tout entier. Ceux qui en deviennent les esclaves les prennent régulièrement et sont tentés d'en prendre de plus en plus. Ils dépassent souvent les limites, car ils ne se rendent pas compte des doses qu'ils ont déjà absorbées et ils s'imaginent toujours qu'ils ne vont pas dormir. En général, ils se sentent étourdis et ont souvent des convulsions, parfois même délirent ou sombrent dans une sorte de coma.

En résumé, les barbituriques, les tranquillisants et les somnifères ne sont pas seulement dangereux pour le système nerveux, mais ils s'avèrent souvent fatals.

Les rapports médicaux et la médecine psychosomatique, actuellement en accord avec la recherche yoguique, confirment qu'il existe plusieurs causes psychiques sous-jacentes à chaque problème humain. Par exemple, pour les cas d'insomnies, bon nombre de personnes sont venues me consulter dans l'espoir que je pourrais les aider par le Yoga. En analysant leur cas, j'ai toujours trouvé qu'il existait une appréhension spécifique dans leur subconscient. Cette crainte une fois éliminée, la personne se sentait instantanément soulagée, reprenait de l'assurance et retrouvait son sommeil.

Nous ne devons jamais oublier que l'esprit humain est capable d'imaginer toutes sortes de spectres ayant pour origine l'angoisse, qui est un facteur fondamental dans tous ces problèmes humains. Cette angoisse empoisonne et détruit complètement la vie.

Il est donc de la plus haute importance d'éliminer toutes les craintes spécifiques et de les transformer en attitudes positives. Outre la peur par elle-même, *il existe d'autres causes psychiques dans les cas d'insomnie,* telles que la tension, les complexes de culpabilité, la dispersion d'esprit, l'anxiété, la fuite devant les responsabilités de la vie.

Attitudes à adopter : relaxation, équilibre, ordre, confiance, foi.

Prânâyâma : respiration rythmée (p. 84), Nadi-Sodhana (respiration alternée, p. 88), Kumbhaka (rétention du souffle, p. 86).

Asanas : Paschimottânâsana (étirement du dos, p. 142), Ardha-Matsyendrâsana (p. 130), Trikonâsana (posture du triangle, p. 136), Viparîtakarani (posture inversée, p. 164), Sîrshâsana (posture de la tête, p. 172), Savâsana (posture de la relaxation complète, p. 176).

Les expériences yoguiques démontrent que, par la pratique régulière des Asanas et des exercices de Prânâyâma appropriés et aussi par la mise en harmonie de notre conscience, nous développons rapidement en nous des tendances vers des affirmations mentales positives.

Je pense qu'il est inutile de citer les nombreux exemples d'amélioration physique et psychique dont j'ai été témoin. Dans tous les cas, la preuve est faite que, sitôt le réajustement mental accompli, l'état du corps s'améliore. Lorsque l'attitude à l'égard de la vie et de ses semblables se transforme dans la conscience intérieure du malade, il est sur la voie de la guérison.

On peut conclure que *le pouvoir de la pensée, lorsqu'il est bien dirigé vers la conscience intérieure, est en mesure d'apporter les résultats désirés.*

Les médicaments modernes apportent un soulagement provisoire et la condition du malade peut s'en trouver améliorée momentanément. Mais, tant que le malade ne changera pas son attitude mentale et qu'il ne s'engagera pas dans la voie où il trouvera la force morale de surmonter ses épreuves, la guérison ne sera pas définitive. *La manière la plus sûre de combattre la cause des diverses maladies d'origine psychique, c'est d'utiliser positivement les moyens d'identification accompagnés d'affirmations intérieures.*

Nous ne saurions avoir un corps plein de vitalité, entretenir des états mentaux et émotifs positifs, si nous n'obéissons pas aux lois de l'harmonie intérieure.

Pour conserver une parfaite santé, nous devons savoir comment respirer correctement, nous relaxer physiquement et mentalement, nous détendre totalement, pratiquer les Asanas, les exercices de Prânâyâma et suivre une diététique bien équilibrée.

Comme on le sait, il existe de si nombreuses maladies qu'il est impossible de les énumérer toutes et d'expliquer chaque cas en détail avec ses symptômes et ses causes psychiques. Je citerai une liste de quelques maux qui sont parmi les plus répandus. Ceci à titre d'exemple, car il est évident que, dans chaque cas, les causes et les effets peuvent être différents. Ces quelques exemples n'ont pour but que d'éveiller votre attention sur l'origine d'une maladie et la manière yoguique de l'éliminer.

ANGOISSE

Causes

Tension, peur, pessimisme, égocentrisme.

Attitudes à adopter

Penser aux autres, détente, optimisme, foi.

Prânâyâma

Kapâlabhati (respiration qui vivifie le corps, p. 92), Nadî-Sodhana (respiration alternée, p. 88), Kumbhaka (rétention du souffle, p. 86).

Asanas

Supta-Vajrâsana (posture pelvi-dorsale, p. 128), Ardha-Matsyendrâ-sana (p. 130), Trikonâsana (posture du triangle, p. 136), Dhanurâ-sana (posture de l'arc, p. 153), Sarvangâsana (posture complète, p. 166), Savâsana (posture de relaxation complète, p. 176).

DÉPRESSION

Causes

Surmenage, nervosité, angoisse, pessimisme, insatisfaction.

Attitudes à adopter

Repos, calme, optimisme, foi, épanouissement.

Prânâyâma

Respiration rythmée (p. 84), Surya-Bhedana (respiration qui revitalise le système nerveux, p. 95), Bhastrikâ (le soufflet, p. 94).

Asanas

Vakrâsana (torsion de la colonne vertébrale, p. 134), Bhujangâsana (posture du cobra, p. 147), Salabhâsana (posture de la sauterelle, p. 150), Halâsana (posture de la charrue, p. 139). Paschimottânâ-sana (étirement du dos, p. 142), Sarvangâsana (posture complète, p. 166), Savâsana (posture de relaxation complète, p. 176).

ÉMISSIONS NOCTURNES

Causes

Peur et anxiété, insécurité, frustration, tension.

Attitudes à adopter

Confiance en soi, sérénité, réalisation de soi, calme.

Prânâyâma

Respiration rythmée (p. 84), Nadî-Sodhana (respiration alternée, p. 88), Ujjâyî (respiration qui renouvelle l'énergie, p. 91).

Asanas

Mula-Bandha (contraction des muscles pelviens, p. 158), Badhako-nâsana (Yoga-Mudra pieds joints, p. 126), Paschimottânâsana (étirement du dos, p. 142), Sarvangâsana (posture complète, p. 166), Savâsana (posture de relaxation complète, p. 176).

FATIGUE

Causes

Conflits inutiles, désordre, agitation, tension, nervosité, surmenage.

Attitudes à adopter

Apaisement, ordre, tranquillité, relaxation, calme.

Prânâyâma

Respiration rythmée (p. 84), Nadî-Sodhana (respiration alternée, p. 88), Ujjâyî (respiration qui renouvelle l'énergie, p. 91).

Asanas

Halâsana (posture de la charrue, p. 139), Paschimottânâsana (étirement du dos, p. 142), Ardha-Matsyendrâsana (p. 130), Sarvangâsana (posture complète, p. 166), Matsyâsana (âsana du poisson, p. 170), Sîrshâsana (posture de la tête, p. 172), Savâsana (posture de relaxation complète, p. 176).

NERVOSITÉ

Causes

Manque de méthode et d'organisation, hâte et précipitation, agitation, tension, insécurité, irritabilité, anxiété.

Attitudes à adopter

Méthode et organisation, calme, pondération, détente, confiance, sérénité, paix.

Prânâyâma

Respiration rythmée (p. 84), Nadî-Sodhana (respiration alternée, p. 88).

Asanas

Yoga-Mudra (le symbole du Yoga, p. 123), Vakrâsana (torsion de la colonne vertébrale, p. 134), Salabhâsana (posture de la sauterelle, p. 150), Halasâna (posture de la charrue, p. 139), Mayûrâsana (posture du paon, p. 155), Viparîtakarani (posture inversée, p. 164), Savâsana (posture de relaxation complète, p. 176).

TROUBLES DE LA MENSTRUATION

Causes

Tension, angoisse, insécurité, frustration, rejet.

Attitudes à adopter

Relaxation, foi, sérénité, pleine réalisation de soi, affirmation.

Prânâyâma

Respiration rythmée (p. 84), Nadî-Sodhana (respiration alternée, p. 88), Kumbhaka (rétention du souffle, p. 86).

Asanas

Badhakonâsana (Yoga-Mudra pieds points, p. 126), Vakrâsana (torsion de la colonne vertébrale, p. 134), Uddiyâna (retrait de l'abdomen, p. 159), Sarvangâsana (posture complète, p. 166), Matsyâsana (âsana du poisson, p. 170), Savâsana (posture de relaxation complète, p. 176).

CINQUIÈME PARTIE

« Le succès est le fruit d'une persévérance à toute épreuve et d'une volonté inébranlable. »

SWAMI VIVEKANANDA

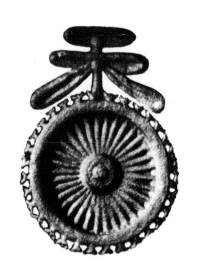

Les causes psychologiques des problèmes humains et le Yoga

Tout individu rencontre des difficultés au cours de son existence. En dehors des maladies physiques et psychiques, il existe bien des problèmes dans notre vie. Ces problèmes, les médecins, les psychologues et les psychiatres essaient de les résoudre; mais en fait c'est nous qui les résolvons, lorsque nous devenons conscients et coopérons avec les forces naturelles de la vie qui sont en nous.

La crainte, une attitude hostile, des complexes d'infériorité et un sentiment de culpabilité sont à l'origine de ces problèmes. Alors que la foi, l'amour, la confiance et la tolérance sont des forces positives et constructives. Il nous faut donc détruire tous nos états mentaux négatifs au moyen de certaines affirmations spécifiques, c'est-à-dire qu'ils nous faut les transformer en attitudes mentales positives. Lorsque nous l'aurons fait, nous éliminerons tous les problèmes et toutes les difficultés et nous améliorerons notre vie entière en vivant dans le bonheur et l'harmonie.

« S'il existe un problème, il existe une solution » dit un ancien proverbe hindou. A chaque fois que nous avons un problème, nous devons en corriger la cause et le problème disparaît. Pour accomplir cela, une discipline mentale est absolument nécessaire; c'est-à-dire que nous devons entraîner notre esprit de telle sorte qu'il demeure tout à fait conscient de ce qu'il pense, de ce qu'il dit, de ce qu'il fait.

C'est pourquoi tous les textes anciens de Yoga répètent inlassablement que l'entraînement de l'esprit est absolument indispensable et doit s'accompagner de la pratique des Asanas et du Prânâyâma pour atteindre les résultats désirés.

En conclusion, comme je l'ai déjà expliqué, le Yoga n'est pas seulement un système de postures physiques et d'exercices respiratoires, favorisant la santé, la jeunesse et la longévité, comme le pensent certaines personnes, mais un art de vivre harmonieusement et créativement sur la base d'une expérience intégrale de tout l'être. C'est une méthode qui vise à ouvrir la source de l'inspiration créatrice cachée dans la *psyché* humaine. C'est un acte de manifestation de soi et de la multiplicité de l'être. Il pose les fondations pour un développement plus élevé de soi-même et d'une conscience de soi plus profonde qui efface les causes psychologiques néfastes de tous les problèmes humains.

Trois facteurs principaux serviront de guide pour rendre les lecteurs plus conscients, lorsqu'ils tenteront d'éliminer ces divers problèmes par eux-mêmes.

1. Effacer et faire disparaître les états de conscience négatifs.

2. Mettre en harmonie leurs états de conscience au moyen d'attitudes mentales positives et constructives.

3. Pratiquer régulièrement les Asanas et le Prânâyâma.

Vous trouverez, dans les pages suivantes, quelques exemples choisis parmi les problèmes humains les plus courants, dont j'ai une longue expérience avec mes élèves, et pour lesquels, grâce aux méthodes du Yoga, j'arrive à des résultats surprenants.

INDÉCISION

Causes

Attitude craintive, faiblesse, flottement de volonté, manque de but et d'idéal, dispersion, manque d'assurance, paresse et manque d'initiative.

Attitudes à adopter

Courage, fermeté, force de volonté, but et idéal, discipline dans les pensées, confiance en soi, esprit d'initiative.

Prânâyâma

Respiration rythmée (p. 84), Nadi-Sodhana (respiration alternée, p. 88), Kumbhaka (rétention du souffle, p. 86).

Asanas

Yoga-Mudra (le symbole du Yoga, p. 123), Uddiyâna (retrait de l'abdomen, p. 159), Supta-Vajrâsana (posture pelvi-dorsale, p. 128), Vakrâsana (torsion de la colonne vertébrale, p. 134), Bhujangâsana (posture du cobra, p. 147), Viparîtakarani (posture complète, p. 164), Savâsana (posture de relaxation complète, p. 176).

PRÉCIPITATION

Causes

Impatience, manque d'organisation, désordre, nervosité.

Attitudes à adopter

Patience, organisation, ordre, calme.

Prânâyâma

Respiration rythmée (p. 84), Kapalabhâti (respiration qui vivifie le corps, p. 92), Nadi-Sodhana (respiration alternée, p. 88).

Asanas

Vakrâsana (torsion de la colonne vertébrale, p. 134), Supta-Vajrâsana (posture pelvi-dorsale, p. 128), Dhanurâsana (posture de l'arc, p. 153), Mayûrâsana (posture du paon, p. 155), Sarvangâsana (posture complète, p. 166), Sîrshâsana (posture de la tête, p. 172), Savâsana (posture de relaxation complète, p. 176).

ENERVEMENT

Causes

Précipitation, irrationalité de la pensée, conflits inutiles, agitation.

Attitudes à adopter

Pondération, méthode, apaisement, calme.

Prânâyâma

Respiration rythmée (p. 84), Nadi-Sodhana (respiration alternée sans rétention du souffle, p. 88).

Asanas

Paschimottânâsana (étirement du dos, p. 142), Viparîtakarani (posture inversée, p. 164), Sarvangâsana (posture complète, p. 166), Matsyâsana (âsana du poisson, p. 170), Sîrshâsana (posture de la tête, p. 172), Savâsana (posture de la relaxation complète, p. 176).

SUSCEPTIBILITÉ EXCESSIVE

Causes

Complexe d'infériorité, manque de compréhension, égocentrisme, complexe de culpabilité.

Attitudes à adopter

Tranquillité d'esprit, confiance en soi, compréhension et tolérance, abnégation.

Prânâyâma

Respiration rythmée (p. 84), Bhastrikâ (le soufflet, p. 94), Nadi-Sodhana (respiration alternée, p. 88).

Asanas

Uddiyâna (retrait de l'abdomen, p. 159), Yoga-Mudra (le symbole du Yoga, p. 123), Ardha-Matsyendrâsana (p. 130), Halâsana (posture de la charrue, p. 139), Sarvangâsana (posture complète, p. 166), Savâsana (posture de relaxation complète, p. 176).

CAUCHEMARS

Causes

Peur, complexe de culpabilité, oppression et angoisse, manque de confiance en soi, tension.

Attitudes à adopter

Foi, sérénité, calme et paix, confiance en soi, décontraction.

Prânâyâma

Kapalabhâti (respiration qui vivifie le corps, p. 92), Ujjâyî (respiration qui renouvelle l'énergie, p. 91), Bhastrikâ (le soufflet, p. 94).

Asanas

Uddiyâna (retrait de l'abdomen, p. 159), Supta-Vajrâsana (posture pelvi-dorsale, p. 128), Mayûrâsana (posture de paon, p. 155), Paschi-mottânâsana (étirement du dos, p. 142), Viparîtakarani (posture inversée, p. 164), Sîrshâsana (posture de la tête, p. 172), Savâsana (posture de relaxation complète, p. 176).

MANQUE D'HARMONIE

Causes

Sautes d'humeur, mesquinerie, hostilité envers son prochain, conflits émotifs et tiraillements, égoïsme, angoisse.

Attitudes à adopter

Égalité d'humeur, tolérance et générosité, bienveillance, paix intérieure, altruisme, foi.

Prânâyâma

Respiration rythmée (p. 84), Kumbhaka (rétention du souffle, p. 86), Nadi-Sodhana (respiration alternée, p. 88).

Asanas

Yoga-Mudra (le symbole du Yoga, p. 123), Vakrâsana (torsion de la colonne vertébrale, p. 134), Mayûrâsana (posture du paon, p. 155), Paschimottânâsâna (étirement du dos, p. 142), Sarvangâsana (posture complète, p. 166), Savâsana (posture de relaxation complète, p. 176).

OBSESSION

Causes

Méfiance, angoisse, complexe de culpabilité et autres.

Attitudes à adopter

Confiance, décontraction, compréhension.

Prânâyâma

Respiration rythmée (p. 84), Nadi-Sodhana (respiration alternée, p. 88), Bhastrikâ (le soufflet, p. 94).

Asanas

Uddiyâna (retrait de l'abdomen, p. 159), Vakrâsana (torsion de la colonne vertébrale, p. 134), Halâsana (posture de la charrue, p. 139), Paschimottânâsana (étirement du dos, p. 142), Sarvangâsana (posture complète, p. 166), Sîrshâsana (posture de la tête, p. 172), Savâsana (posture de relaxation complète, p. 176).

MÉLANCOLIE

Causes

Manque d'humour, crainte, humeur sombre, attitudes négatives, pessimisme, dépression.

Attitudes à adopter

Sens de l'humour, foi, joie de vivre, attitudes positives, optimisme, allégresse et enthousiasme.

Prânâyâma

Respiration qui purifie (p. 98), Nadi-Sodhana (respiration alternée, p. 88), Bhastrikâ (le soufflet, p. 94).

Asanas

Supta-Vajrâsana (posture pelvi-dorsale, p. 128), Trikonâsana (posture du triangle, p. 136), Ardha-Matsyendrasâna (p. 130), Halâsana (posture de la charrue, p. 139), Sarvangâsana (posture complète, p. 166), Sîrshâsana (posture de la tête, 172), Savâsana (posture de relaxation complète, p. 176).

FRUSTRATION

Causes

Manque d'intérêt dans la vie, étroitesse d'esprit, réserve excessive, manque de courage, refoulement, égoïsme.

Attitudes à adopter

Intérêt dans la vie et enthousiasme, largeur d'esprit, intérêt pour son prochain, courage, épanouissement, altruisme.

Prânâyâma

Respiration rythmée (p. 84), Nadi-Sodhana (respiration alternée, p. 88), respiration qui purifie (p. 98).

Asanas

Badhakonâsana (Yoga-Mudra pieds joints, p. 126), Halâsana (posture de la charrue, p. 139), Vakrâsana (torsion de la colonne vertébrale, p. 134), Sarvangâsana (posture complète, p. 166), Savâsana (posture de la relaxation complète, p. 176).

SIXIÈME PARTIE

*« Un régime approprié peut rétablir la santé
à tout âge. »*

AYUR-VEDA

Une nourriture
bien équilibrée

« De même que la suralimentation rend le corps épais et
pesant, de même la sous-alimentation le rend faible et nerveux.
Il faut donc trouver le juste équilibre entre les besoins du corps
et la quantité de nourriture absorbée. »

AYUR-VÉDA[1]

Une nourriture bien équilibrée comprend en proportions adéquates
des protéines, des hydrates de carbone, des graisses, des sels et des
minéraux. La quantité de nourriture absorbée doit correspondre aux
besoins de notre organisme, et être d'une qualité qui fournisse aux
cellules une juste proportion de force vitale.

La science médicale nous prouve que la suralimentation, par les
excès de calories qu'elle nous fait absorber et qui vont s'accumuler
sous forme de graisse, accélère la détérioration du corps humain.

---

1. L'*Ayur-Véda* est une partie d'un des quatre Védas, *l'Atharva-Véda*. Les Védas sont
les anciennes Écritures Saintes des Hindous, contenant le savoir suprême et la plus haute
philosophie. L'*Ayur-Véda* est consacré à la Science et à la Santé. Il contient tous les secrets
pour maintenir le corps humain en parfaite santé. C'est un traité où l'on trouve les méthodes
et les remèdes permettant de guérir les maladies par des herbes et des plantes. Déjà, il y
a cinq ou six mille ans, les initiés de l'Inde savaient que les maladies étaient l'œuvre d'une
multitude de minuscules créatures invisibles, que nous appelons aujourd'hui microbes.

La première nourriture de l'homme consistait en plantes, racines et fruits sauvages auxquels on ajouta plus tard les produits agricoles cultivés; les habitants des régions froides consommaient du poisson et de la viande, car ils ne pouvaient trouver autre chose. L'homme que nous appelons civilisé consomme des aliments artificiels et des stimulants. Il a presque perdu son instinct naturel qui le portait à rechercher des produits sains.

La nourriture doit être fraîche, propre et, dans la mesure du possible, non traitée. On doit éviter les nourritures grasses et frites qui sont nocives pour le foie. Adoptons un régime qui comprenne de plus en plus d'aliments crus, de salades vertes, de légumes, de fruits, de céréales, de lait et ses dérivés (fromages et yaourts) et de miel. Dans les climats froids, on peut prendre une certaine quantité de viande et de poisson. Les fruits et les jus de fruits sont excellents aussi.

Trois éléments importants sont à la base d'une alimentation bien équilibrée :

Tout d'abord il faut choisir des aliments nourrissants, car il est possible d'accroître l'énergie et la vigueur si les aliments sont judicieusement choisis.

Deuxièmement, il faut manger modérément, c'est-à-dire manger un peu moins qu'à notre faim, car cela nous rend léger, actif et énergique. Manger au-delà de notre faim déforme le corps, altère la santé, réduit notre rendement et raccourcit notre vie.

Troisièmement, les aliments doivent être mastiqués à fond et mélangés à la salive afin d'être bien digérés et assimilés. Chaque bouchée doit être mastiquée de dix à quinze fois jusqu'à ce qu'elle soit parfaitement imprégnée de salive et transformée en bouillie.

Tout repas doit être pris lentement, dans la paix et le calme, en conservant une attitude d'esprit positive. Il est très bon pour la santé de jeûner un jour par semaine ou un jour par quinzaine, cela purifie et revitalise le corps. Pendant le jeûne, il est conseillé d'absorber des jus de fruits, particulièrement du jus de citron avec de l'eau.

Évitons les aliments trop substantiels au repas du soir et en particulier avant d'aller au lit.

J'aimerais raconter une petite histoire vécue. Un jour où j'étais en route pour Amarnath (une célèbre grotte sacrée située à haute altitude dans la vallée du Cachemire), je rencontrai d'autres pèlerins.

Il nous fallut voyager à pied à partir du dernier arrêt d'autobus, car il n'y avait pas d'autre moyen d'atteindre la caverne. Nous traversâmes de belles montagnes neigeuses et de merveilleux paysages. Sur le chemin du retour, en passant par un village, l'un d'entre nous fut pris de diarrhées. Nous cherchâmes un médecin dans le pays. Les habitants furent surpris d'entendre le mot « médecin ». Fort étonnés, nous leur demandâmes comment ils s'arrangeaient pour se débarrasser de leurs divers maux. Ils répondirent qu'ils ne tombaient jamais malades, parce qu'ils ne commettaient jamais de péchés. Nous étions curieux de connaître leurs secrets pour prolonger la santé indéfiniment. Ils nous dirent qu'ils vivaient dans la nature, travaillaient dur, transpiraient, et mangeaient des aliments simples et naturels après un effort physique, afin de satisfaire juste leur appétit. *« Nous tendons les mains vers la nourriture lorsque nous avons réellement faim et les retirons alors qu'il reste encore de la place dans nos estomacs, et ainsi nous évitons le péché de suralimentation. »*

Il faut adopter de ne jamais manger sans avoir faim ou d'avoir recours à des stimulants pour prolonger le plaisir de manger et satisfaire sa gourmandise (c'est ce qu'on appelle un appétit civilisé). N'oublions pas que toute surcharge du système digestif peut amener de nombreuses maladies et que souvent « on creuse sa tombe avec ses dents ».

Un régime adéquat aide de façon extraordinaire à maintenir un esprit sain et bien équilibré dans un corps aux proportions harmonieuses et en parfaite santé.

L'eau, un grand don de la nature pour la vie et la santé de l'homme

D'après l'*Ayur-Véda,* le Yoga et la science occidentale, l'eau entre pour 70 % dans la composition de notre corps.

Quand nous avons soif, nous devons boire de l'eau, mais il faut la boire lentement, par petites gorgées et surtout ne pas l'avaler goulûment, d'un seul trait. On doit garder chaque petite gorgée de liquide dans la bouche pendant un moment, la mélanger à la salive, la savourer. Il faut « mâcher » l'eau pour que l'organisme absorbe plus rapidement le prâna qui y est contenu en très grande quantité. L'eau ne doit être ni trop chaude, ni trop froide, mais chambrée. Il faut en boire peu à la fois, mais à plusieurs reprises pendant la journée.

Une certaine quantité de ce liquide est indispensable pour stimuler la circulation sanguine, favoriser la nutrition, faciliter la digestion et l'élimination des déchets de l'organisme. L'eau est nécessaire au bon fonctionnement des reins, elle entre dans la composition des différents sucs de notre organisme : bile, suc gastrique, etc.

Nous devons éviter de boire en mangeant, car les boissons dissolvent les sucs gastriques et gonflent inutilement l'estomac. L'eau absorbée une demi-heure avant et après les repas convient normalement à tous les tempéraments et à toutes les conditions.

D'après l'*Ayur-Véda,* l'absorption d'un verre d'eau le soir, au coucher, et le matin, au lever, permet de nettoyer complètement l'organisme.

On a remarqué que les gens qui ne boivent pas suffisamment sont souvent anémiques. De plus, leur peau se dessèche, leur transpiration diminue. Ils souffrent presque toujours de constipation.

On doit boire au moins un litre d'eau par jour et même davantage si on vit dans un pays chaud.

Maigrir ou grossir

Nos fluctuations pondérales dépendent de la sécrétion de certains organes internes et sont le résultat de perturbations glandulaires, assorties d'une ingestion excessive de nourriture mal choisie.

Par exemple, si la glande thyroïde ne fonctionne pas correctement, il y a désordre dans le corps. Nous devenons soit trop gras, soit trop maigres. De tels désordres ne peuvent être guéris par de pseudo-régimes amaigrissants ou des médicaments. Il nous faut assainir notre organisme pour rétablir l'équilibre du corps. Si nous avons une excédent de poids, la pratique de certains Asanas aidera à nous en défaire. Par contre, si nous sommes en-dessous de notre poids, d'autres Asanas nous aideront à en gagner. (Voir le chapitre sur les glandes endocrines, p. 111.)

L'embonpoint excessif a pour cause la suralimentation régulière due à une absorption excessive d'hydrates de carbonne contenus dans l'amidon et le sucre. La consommation d'une grande quantité d'alcool apporte aussi un excès d'hydrates de carbone. Il est non seulement inesthétique d'être corpulent, mais également dangereux, l'obésité favorisant le diabète, les troubles cardiaques et pouvant même causer des lésions des nerfs cervicaux. Il serait vain de s'attendre à un résultat instantané : essayer de perdre du poids de manière trop rapide est néfaste pour le système nerveux et le cœur, qui ne peuvent supporter le choc d'un jeûne effectué sans surveillance médicale dans certains cas précis (diabète par exemple).

Les Asanas, par leurs effets sur les glandes, réduisent le poids et entretiennent la santé du corps; ils le ramènent à ses proportions harmonieuses, tout en préservant le tonus des muscles et des tissus et en prévenant le relâchement des chairs qui accompagne en général une perte de poids. Lorsque la pratique du Yoga est suivie régulièrement en même temps qu'un régime adéquat, le résultat est plus rapide.

Les protéines

Les protéines sont les éléments qui servent à former une partie essentielle de notre corps. Elles aident à la croissance et réparent les déficiences causées par les maladies. On doit veiller à consommer la quantité exacte de protéines, car tout excès s'avère dangereux pour l'équilibre de la santé.

Aliments contenant des protéines

Le soja, les arachides, les pois chiches, les lentilles, le fromage, la caséine, le lait en poudre sont très riches en protéines. Les légumes, le lait, les fruits le sont également, mais en moins grande quantité.

Matières grasses

Les graisses sont absolument nécessaires à la conservation de la température du corps. Elles fournissent l'énergie et maintiennent la souplesse de nos tendons. Elles nous font recouvrer l'énergie perdue. Sans une bonne proportion de graisses, nous devenons facilement sujets à bien des maladies : rhume, toux, pneumonie, tuberculose, etc.

Aliments gras

Les huiles d'olive, d'arachide, de tournesol, etc., le beurre frais ou fondu, toutes les graisses utilisées dans la cuisine sont des matières grasses. En outre, les noix, les pistaches, les amandes, les noisettes, le soja, le riz, les lentilles, la farine de blé, le lait en poudre, les fromages, les œufs, les poissons gras et la viande contiennent des corps gras. Nous devons nous souvenir qu'il est mauvais d'en consommer trop, car ils créent des acides et provoquent des indigestions.

Hydrates de carbone

Une fois digérés, les hydrates de carbone conservent la température du corps et lui fournissent de l'énergie. Ils facilitent la digestion, mais absorbés en trop grande quantité et ne pouvant pas être entièrement assimilés, ils ont un effet nocif sur notre santé et nos activités.

Aliments contenant des hydrates de carbone

Nous pouvons faire entrer dans cette catégorie :

A) Les aliments qui sont très riches en hydrates de carbone, c'est-à-dire :

Iº Tous les aliments qui produisent du sucre tels que le miel, le sucre de canne et de betterave, les raisins, la mélasse.

2º Tous ceux qui contiennent de l'amidon tels que le riz, la farine de blé, les pois chiches, les petits pois, les lentilles, le tamarin, le curcuma, le maïs, etc.

B) Les aliments qui contiennent une grande quantité d'hydrates de carbone : la betterave, la pomme de terre, l'oignon, la carotte, le radis, les noix de coco, les cacahuètes, et les autres oléagineux, les fruits comme la mangue, la figue, la datte, la banane, les épices comme le cardamone, le cumin, le coriandre, le gingembre, les clous de girofle.

C) Les aliments contenant une quantité moindre d'hydrates de carbone, c'est-à-dire les autres légumes, fruits et herbes.

Classification
des aliments
d'après le Yoga
et l'Ayur-Véda

Les anciens Rishis (Sages) de l'Inde ont découvert un traitement diététique simple et très efficace contre la plupart des maladies en même temps qu'ils ont formulé certains principes fondamentaux de conduite générale. Il y aurait, d'après ces Sages, deux causes principales à la plupart des maux corporels : la suralimentation et la sous-alimentation. Des millions et des millions de personnes sont victimes de ce déséquilibre alimentaire, et la seule façon de corriger ce régime défectueux est de recourir abondamment aux légumes et aux fruits de saison.

Nous savons que l'humanité, dans son ensemble, suit trois types principaux de régime alimentaire : le régime de type carnivore, le régime de type lacto-végétarien et le régime de type mixte. La plus grande partie de l'humanité a adopté le régime de type mixte, soit un mélange de légumes, de fruits, de céréales, de lait et de viande.

Les gens qui pratiquent le yoga, et, tout particulièrement ceux qui suivent la voie spirituelle, adoptent généralement le régime de type lacto-végétarien qui consiste strictement en fruits, légumes, céréales, noix, lait et laitages, miel, et sucre non raffiné. Ce régime permet un équilibre parfait entre les fonctions d'assimilation et d'élimination dont dépendent largement la santé naturelle du corps et également le pouvoir de concentration et de méditation.

A un niveau élevé du Yoga, on a expérimenté que la viande augmentait la paresse et l'état d'insalubrité bactérienne du colon ainsi que l'état d'impureté générale du corps. Les expériences yoguiques et ayur-védiques, tout comme les expériences médicales, ont prouvé que le lait peut fournir toutes les protéines nécessaires au corps de même qu'il est très profitable pour maintenir une activité renforcée et un état de salubrité bactérienne du côlon. C'est pourquoi le lait a été considéré par les Yogis comme un des plus importants éléments de l'alimentation et la vache, comme un animal sacré.

« Notre nourriture doit être notre médecine »

AYUR-VÉDA

*Voici une liste des aliments
qui devraient entrer dans notre régime quotidien*

Yoghourt

En Inde, le yoghourt fait partie de chaque repas. C'est un excellent aliment qui entretient la vigueur et la virilité jusqu'à un âge extrêmement avancé. Il accroît également la longévité. Le yoghourt offre de nombreux avantages : on digère plus facilement les protéines, on assimile mieux le calcium. Les vitamines B que les bactéries du yoghourt fabriquent dans les intestins rendent des services inestimables. La putréfaction et le trop plein de gaz dont souffrent de nombreuses personnes sont peu à peu éliminés.

Le procédé par lequel on fabrique du yoghourt en Inde, le plus souvent, est très simple. On verse tout d'abord du lait dans un pot de terre que l'on recouvre ensuite. On le place alors au-dessus du feu. Quand le lait est assez bouilli; on y mélange une petite quantité de yoghourt déjà fait et on le remet pendant toute la nuit sur un feu très doux de bouse de vache. Le lendemain le tout est bien ferme, couvert d'une couche de crème, prêt à manger. C'est tout à fait délicieux. Avant de remuer ou d'agiter le yoghourt on prélève la partie crémeuse pour faire du Ghy ou du beurre clarifié. On boit ce qui reste et que l'on appelle lassi ou petit-lait. C'est une boisson délicieuse et pleine de calcium. Elle est extrêmement rafraîchissante, particulièrement en été.

Il y a d'autres procédés utilisés en Occident qui donnent aussi d'excellents résultats.

Miel (un aliment merveilleux)

« Les abeilles étant les plus grandes productrices de douceur sont bien plus habiles dans la fabrication d'une friandise de beaucoup plus saine que celles que pourrait fabriquer, avec toutes sortes d'ingrédients, un confiseur qui y mettrait tout son talent et son savoir-faire. »

AYUR-VÉDA

Selon l'expérience de l'Ayur-Véda, le miel est un aliment naturel et vivant. Il est la quintessence des fleurs recueillie par les abeilles. Il a toutes les propriétés merveilleuses qui permettent de revitaliser le corps humain. C'est un aliment des plus nourrissants et en même temps un tonique. Il est également facile à digérer et à assimiler. Il devrait jouer un grand rôle dans l'alimentation des bébés, car il régénère le lait. A la naissance, la langue de l'enfant devrait être enduite de miel, qui serait sa première nourriture.

Le miel est une source d'énergie incomparable, il fortifie les muscles et calme les nerfs. Il favorise le sommeil. Il redonne du tonus aux cœurs fragiles, aux estomacs délicats, aux cerveaux sans force. Il est un merveilleux régulateur de l'intestin et en même temps un agent de recalcification osseuse. Il tue les microbes et permet au corps de surmonter les maladies. On a constaté que les microbes ne peuvent pas proliférer dans le miel. Il peut remplacer le jus d'orange et l'huile de foie de morue, et est très utile pour combattre les rhumes, les grippes, les angines, la toux, le catarrhe des bronches, la gastralgie et les inflammations de la gorge, grâce à son action antiseptique.

Le miel est également un remède efficace contre l'anémie, la constipation. Il aide à une meilleure circulation du sang et à un bon fonctionnement du foie. En effet, il contient de nombreuses vitamines et des acides organiques qui favorisent l'assimilation et permettent de mieux résister aux maladies. Lorsqu'on est fatigué ou épuisé par le surmenage, ou déprimé, une cuillerée à soupe de miel dans l'eau fortifie immédiatement. Le miel consommé avec des amandes trempées peut être utilisé contre la torpeur de l'esprit, c'est un tonique puissant du cerveau. Si on trempe une douzaine d'amandes dans de l'eau tiède, le soir, et si, après en avoir ôté les peaux, le matin, on les consomme avec deux cuillerées à café de miel, on se sent, au bout de quelques jours, plein d'énergie et de vivacité.

Le miel contient tous les éléments minéraux nécessaires au corps humain, car on y trouve 80 % de nourriture sous la forme la plus assimilable : sucres de dextrose et de lévulose, phosphates, calcium, acide formique et fer. Il contient les enzymes qui réduisent l'aliment complexe en substances facilement assimilables. Le miel ne nécessite aucune digestion, il est prêt à être absorbé directement par le courant sanguin. Une cuillère à café de miel par jour conservera tout le long de notre vie notre estomac et nos intestins en bon état.

En Inde, les praticiens de la médecine ayur-védique font prendre quotidiennement à leurs malades souffrant de rhumatismes le jus de deux ou trois citrons bien mûrs avec leur zeste râpé, le tout mélangé à du miel. En fait, il serait bon de consommer au moins un citron par jour. Le jus de citron ne fera jamais de mal s'il est mélangé à une cuillerée à café de miel, ce qui empêche l'excès d'acidité.

Remarque

Il est une question qu'on pose souvent : le miel fait-il grossir? Eh bien, non! Au contraire, dans l'Antiquité, on se servait du miel non seulement pour régénérer le corps, mais aussi pour maigrir. Le miel est à conseiller lors d'un régime amaigrissant, parce qu'il est assimilé très rapidement, contrairement aux autres sucres qui sont « métabolisés » bien plus lentement, ce qui provoque l'accumulation de graisse indésirable dans les tissus. C'est pourquoi le miel, pris en petite quantité, n'est pas seulement un merveilleux aliment de santé, mais il permet également de rester toujours mince.

Germes de blé

Les germes de blé constituent la partie essentielle des épis de blé. Ils sont l'une des plus riches sources de vitamines B1, B2, B12, PP et E et ils contiennent également des protéines, des matières grasses et du fer. Les spécialistes ayur-védiques recommandent d'inclure des germes de blé et leur huile dans notre repas quotidien. On peut mélanger des germes de blé, ou leur huile, à des salades, des céréales et des soupes. On peut aussi en manger avec des fromages frais, des yoghourts et des salades de fruits frais. Il y a d'autres façons d'utiliser les germes de blé, sur le pain par exemple, en tartines ou en sandwiches. Les germes de blé sont exceptionnellement stimulants.

Comment préparer les germes de blé chez soi

Laver une pleine poignée de blé et la verser dans un bol rempli d'eau tiède. Laisser reposer au moins 24 heures. Puis rincer à nouveau à l'eau tiède et verser dans un plat en terre creux qu'on conservera constamment humide. Le blé germera très vite.

Soja

L'usage du soja, originaire d'Asie, commence à se répandre de plus en plus en Europe. Cette plante très riche en protéines (en comparaison à la viande, 43 % contre 18 %), lipides, glucides, sels minéraux (fer, calcium, magnésium, phosphore, sodium, souffre), et vitamines A, B_1, B_2, D, E, est un aliment complet, énergétique, facile à digérer. On peut le recommander particulièrement aux personnes fatiguées, nerveuses et anémiées car les éléments qui le composent sont de puissants régénérateurs du squelette, des muscles et des nerfs.

On peut l'utiliser sous forme de germes, graines, huile ou farine. Les personnes supportant mal le lait d'origine animale peuvent le remplacer par du lait de soja.

Les protéines du soja contiennent tous les acides aminés indispensables à l'organisme, ce qui en fait un produit des plus équilibrés.

Lait en poudre

Le lait en poudre est très répandu de nos jours, particulièrement dans les régimes diététiques. C'est sans aucun doute une boisson nourrissante qui, mélangée au lait frais, en augmente considérablement la valeur nutritive. Le lait en poudre est riche en protéines, en calcium et en autres vitamines, particulièrement en vitamines B2 et il ne contient pratiquement pas de matières grasses. Cependant les Ayur-védiques ne pensent pas qu'il doive être substitué au lait frais.

En se déshydratant, le lait perd ses propriétés naturelles. Il devient un produit concentré du lait au même titre qu'un autre sous-produit. On a remarqué que le lait frais était facilement digéré et assimilé dans notre système et qu'il nourrissait le corps entier.

Il faut faire très attention en se servant de lait en poudre parce qu'il faut, pour le digérer, sécréter autant de sucs gastriques que pour digérer de la viande. Si l'on ressent le plus léger trouble hépatique on peut même tomber malade et finir par perdre l'appétit. Cependant les gens jouissant d'une santé normale peuvent en retirer de grands profits. On peut l'inclure dans nos repas en le mélangeant au lait froid, aux soupes, au pain, aux crèmes, au yoghourt, etc.

Mélasse

« Rab » est le nom indien de la mélasse. C'est un produit non raffiné du suc de la canne à sucre. La mélasse est très riche en fer, en calcium, en vitamines B et elle contient tous les minéraux. Elle a très bon goût. Elle peut être mélangée au lait, aux jus de fruits, au yoghourt et elle peut même remplacer le sucre. La mélasse possède d'excellentes qualités laxatives. Elle revigore les muscles et stimule tout le système nerveux.

Dattes

En sanscrit, on appelle les dattes « Kharjur ». On trouve des dattes fraîches et des dattes séchées. C'est un bon élément rajeunissant, riche en reconstituants corporels. Les dattes tonifient le corps, mais font grossir si on les prend en trop grande quantité. Elles contiennent des éléments nutritifs facilement assimilables tels que le fructose, le calcium, le fer, le magnésium, le potassium, le phosphore, les alcalis et les vitamines A, D, B1 et C dans des proportions normales. En outre, si l'on mange des dattes, on augmente la quantité de liquide séminal et la puissance sexuelle. Pour retrouver cette puissance on peut recourir à ce breuvage tonifiant :

Il faut faire tremper 2 ou 3 dattes sèches dans un pot de terre rempli d'eau pendant toute la nuit. Elles seront gonflées le lendemain matin. Il faut alors retirer les noyaux et faire bouillir la chair des fruits dans un demi-litre de lait frais. En absorbant le tout on peut retrouver l'énergie sexuelle vitale. Cette boisson agit aussi comme tonique.

Les dattes possèdent d'autres propriétés bien connues : ainsi, par exemple, pour se débarrasser d'une sensation de brûlure à l'intérieur du corps, il faut malaxer 2 ou 3 dattes dans 3 décilitres d'eau, filtrer le tout et boire le liquide obtenu. L'effet peut être accéléré en remplaçant l'eau plate par de l'eau de rose.

Les dattes sont donc extrêmement nourrissantes, énergétiques et toniques pour les muscles et les nerfs, mais elles sont aussi préventives de la sénilité et même du cancer.

On peut administrer trois à quatre fois par jour aux adultes et aux enfants délicats et convalescents quelques dattes malaxées dans de l'eau chaude.

Le sirop de dattes est une boisson répandue que l'on peut faire tout au long de l'année en retirant le même profit. Versez deux livres de dattes dans quatre litres d'eau bouillante. Malaxez-les dans vos mains une fois qu'elles ont un peu refroidi, filtrez-les, rajoutez un peu plus d'eau ou de lait et du sucre non raffiné à votre goût. C'est une boisson extrêmement agréable en toute saison.

Les dattes et le lait, particulièrement en hiver, constituent un petit déjeuner très sain.

Figues

Les figues sont une nourriture idéale et occupent une place de premier rang parmi tous les fruits. Elles sont extrêmement bonnes pour la santé. Elles sont également digestes. Elles régularisent les fonctions du foie et de la rate et elles font disparaître la constipation. Les figues séchées ou fraîches peuvent entrer dans notre régime quotidien. Elles contiennent les vitamines A, B1, B2, PP, C, ainsi que quelques protéines, hydrates de carbone, sucre, fer, sodium, sulfure, magnésium, calcium et brome.

Les figues séchées ont depuis longtemps fait partie du régime des Gandhiji. Gandhi lui-même les prisait beaucoup, et il recommandait la poudre de figues sèches aux vieillards dont les dents étaient mauvaises ou qui n'avaient plus de dents du tout et ne pouvaient donc pas mastiquer ces fruits.

Les figues sont des reconstituants très nutritifs et digestes qu'il faut donner, non seulement aux sportifs, mais aussi aux enfants, aux adolescents, aux convalescents, aux personnes âgées et particulièrement aux femmes enceintes. Comme les figues sont riches en éléments nutritifs nécessaires, elles permettent une rapide récupération après tout effort physique ou mental et elles assurent au corps une vigueur et une force renouvelées. Les figues sont donc très recommandées pour faire partie de notre nourriture quotidienne.

Tomates

Les tomates occupent une place importante parmi les légumes. Leur goût est aigre, mais leur acidité n'est pas irritante. Elles contiennent des vitamines A, B (B 1, B 2, B 3), C, D, PP, E et K. Elles sont également riches en sulfures, potassium, fer, calcium et magnésium. Elles contiennent aussi du cuivre, du zinc et de l'iode. Les vitamines contenues dans une tomate ne disparaissent pas sous l'effet d'une cuisson normale, mais une tomate bouillie perd quelques vitamines.

Il faut de préférence manger les tomates crues. Elles stimulent le système nerveux et elles purifient le sang. Elles font disparaître la constipation et elles renforcent les dents. Elles sont facilement digestibles et c'est pourquoi on les recommande aux malades, particulièrement aux diabétiques et à ceux qui sont atteints de fièvres.

On sait par expérience que les tomates régularisent le taux de sucre dans les urines des diabétiques. Très riches en vitamines A, elles sont donc très utiles, de façon plutôt préventive, contre la cécité nocturne, la myopie et toutes les autres infirmités des yeux.

Très riches également en vitamines et en sels minéraux, particulièrement en vitamines C, en calcium et en fer, elles favorisent la croissance des enfants. Pour un enfant d'un an, une cuillerée à café de jus de tomate fraîche, trois fois par jour, est suffisante.

Carottes

Parmi les légumes la carotte est d'une utilité extraordinaire si l'on veut suivre un régime équilibré. Elle est très profitable au développement et à la croissance du corps. Elle renforce l'immunité contre diverses maladies.

En Inde, il y a deux sortes de carottes, l'une est rouge foncé et l'autre est orangée. Toutes deux sont exceptionnellement riches en vitamines A. Elles contiennent également d'autres vitamines B, C et du carotène (provitamine A). Elles contiennent de plus du fer, des phosphores, des sulfures, du calcium, du sodium, du potassium, du magnésium. On y trouve aussi du sucre, du lévulose et du dextrose directement assimilables et quelques protéines. On a remarqué que le fer contenu dans les carottes est plus directement assimilable que celui contenu dans les médicaments.

La carotte est un bon préventif contre de dangereuses maladies telles que la sinusite ou tout autre infirmité des yeux et des oreilles, à condition d'être utilisée régulièrement. Elle soulage aussi de la sensation de brûlure quand on urine. On soigne l'hyperacidité en buvant matin et soir du jus de carottes. La carotte est également un bon remède contre les ulcères gastriques et intestinaux et contre la constipation chronique. Les troubles hépatiques, les désordres bilieux, la jaunisse et les troubles urinaires disparaissent lorsqu'on boit du jus de carottes fraîches ou cuites en quantité substantielle.

Il est prouvé que l'on guérit certaines maladies de la peau en mangeant des carottes pendant 15-20 jours. Le jus de carottes est particulièrement efficace contre la gale, l'anémie, les scrofules et les impuretés du sang. Pour en retirer le maximum de profit, il faut manger les carottes crues ou en boire le jus frais.

Attention : il est préférable de gratter ou de brosser les carottes sous l'eau froide que de les peler, parce que c'est leur peau qui est la plus riche en vitamines.

Les carottes qui contiennent de la vitamine A peuvent remplacer le lait, l'huile d'olive et l'huile de foie de morue. Elles conviennent particulièrement à ceux qui ne peuvent pas tolérer ces aliments.

Voici une façon de préparer une délicieuse soupe de légumes : faites bouillir une bonne quantité de carottes coupées en morceaux avec du céleri, des poireaux, des navets, de l'oignon, de l'ail, du romarin, du thym, du persil, des feuilles de coriandre fraîche, des clous de girofle, passez ensuite le bouillon et servez.

Gingembre

Le gingembre est une racine très épicée que l'on utilise en cuisine, en médecine et dont on fait également du sirop. On peut se servir de gingembre frais ou réduit en poudre. Il entretient remarquablement la chaleur du corps dont il régularise la température. Le gingembre contient des vitamines C, P, ainsi que de l'iode, du fer, du potassium et du soufre. Il permet de soigner les rhumatismes, l'arthrite et il soulage les douleurs du corps. Il combat aussi très efficacement les mauvais refroidissements. On peut en mettre dans la soupe; on peut s'en servir pour parfumer des légumes cuits. Il favorise la digestion et il est donc très stimulant pour la santé. Il élimine les gaz. On emploie aussi le gingembre pour faire des gâteaux, des biscuits, des friandises, etc.

Il est d'un goût très fortement épicé, aussi faut-il faire très attention en s'en servant. Voici comment il faut utiliser le gingembre si l'on veut en retirer le maximum de profit : il faut prendre une racine fraîche, en gratter une très petite quantité (une demi-cuillère à café) et la mélanger à de la soupe ou à des légumes cuits, juste avant de servir, uniquement pour donner du goût.

On peut aussi en faire des infusions, avec en plus une cuillère à café de miel pur et quelques gouttes de citron, selon le goût de chacun.

Citron

Dans beaucoup de pays le citron est un condiment nécessaire pour tous les plats, car il les rend plus savoureux et plus digestes. Il joue aussi un grand rôle en médecine et ses vertus curatives sont importantes. Bien qu'il y ait de nombreuses variétés de citrons on peut en gros les diviser en deux sortes : les citrons acides et les citrons doux.

Ils contiennent beaucoup de vitamines C qui sont nécessaires pour assurer une digestion normale et leur absence dans la nourriture peut provoquer différents troubles gastriques ou sanguins. Ils sont très riches aussi en vitamines A, très importantes pour la croissance, en vitamines B1, B2, B3 indispensables pour l'équilibre du système nerveux et en vitamines PP qui protègent le système vasculaire. En outre il y a dans le citron, du fer, du calcium, de la silice, du phosphore, du magnésium et du cuivre.

275

Le citron chasse les gaz et la bile et, comme il est facilement digestible, il stimule donc le système digestif. Il protège des vers intestinaux, des maux d'estomac, de la colique et du manque d'appétit. Il est donc très utile pour atténuer les troubles de la digestion, et les maladies du système nerveux, et rétablir l'équilibre des facteurs fondamentaux de notre corps.

On recommande de boire le jus d'un demi-citron le soir pour combattre la dyspepsie et les maux de tête dus au mauvais fonctionnement du foie.

Ce jus permet également de soulager des nausées et des crises de vomissements cycliques de la grossesse qui durent généralement jusqu'au quatrième mois.

Tous ceux qui ont un ventre protubérant, pour avoir accumulé de la graisse superflue ou qui souffrent d'obésité doivent boire le jus d'un petit citron après chaque repas. Ils perdront du poids au bout de quinze jours sans ressentir la moindre faiblesse.

De six à quinze grammes de jus de citron frais avec vingt grammes d'eau, matin et soir, après les repas constituent un excellent traitement des troubles hépatiques, de la constipation, de la colique, de l'anorexie, des tympanismes.

Si l'on prend un peu de jus de citron toutes les six heures on calme les douleurs nerveuses et on diminue la tension artérielle. Le citron réduit la température anormale dans les crises intermittentes du paludisme.

On soulage la soif brûlante et la température élevée qui accompagnent les fièvres en prenant du sirop de citron. De 15 à 20 grammes de jus de citron avec de l'eau chaude. Voilà un remède très efficace contre le choléra.

Les mauvais effets des narcotiques, de l'opium ou des boissons alcoolisées se dissipent après l'absorption d'un jus de citron, ce qui calme également les crises de vomissements et élimine la flatulence.

L'utilisation quotidienne de citron et de sel marin est un excellent traitement pour la dilatation de la rate. Le sirop de citron soulage les sensations de brûlure ou de chaleur inhabituelles, les palpitations du cœur, la constipation et la rétention d'urée.

Une mesure de jus de citron avec deux mesures de glycérine appliquées sur le visage, les mains et les pieds avant de se coucher rendent la peau douce.

Une mesure de jus de citron avec deux mesures d'huile d'olive étalées et frottées sur tout le corps adoucissent la peau et lui donnent de l'éclat.

Une soupe et des légumes cuits assaisonnés de jus de citron sont plus appétissants et plus légers à digérer.

Un jus de citron avec du sel, du poivre noir, du cominos et du coriandre ouvre l'appétit, régularise les selles, soulage des tympanismes et des flatulences.

Le citron au vinaigre avec du sel et du jus de citron constitue un remède courant en Inde contre l'abus de nourriture ou des aliments indigestes. En Inde, les praticiens de la médecine ayur-védique administrent quotidiennement à leurs malades souffrant de rhumatismes, de sciatique, de lumbago, de douleurs dans les articulations de la hanche, le jus de deux ou trois citrons bien mûrs avec leur zeste râpé, le tout mélangé à du miel. En fait, il est profitable de consommer au moins un citron par jour. Le jus de citron ne fait jamais de mal quand il est mélangé à une cuillère à café de miel, ce qui empêche l'excès d'acidité.

Oignon

On utilise si couramment l'oignon dans la cuisine de tous les pays que l'on en trouve dans presque tous les foyers. Le jus de l'oignon est aphrodisiaque, stimulant et expectorant. Il contient un nombre considérable de vitamines A, B, C. Il contient également du fer, de l'iode, du soufre, du sodium, du potassium, des nitrates et des phosphates de calcaires, des silices, etc.

On peut également trouver des sucres et des hydrates de carbone solubles.

Bien que l'oignon cru empeste désagréablement l'haleine, c'est ainsi qu'il désinfecte le mieux tous les canaux alimentaires et non pas quand il est frit ou cuit. Manger de l'oignon cru est diurétique.

Il y a deux sortes d'oignons de deux couleurs différentes : rouge et jaune. Leur goût est piquant mais ils sont nourrissants et ils calment la toux. Ils ouvrent l'appétit, ils sont toniques et bien que légèrement indigestes ils constituent d'excellents antidotes. Ils calment également les coliques et la flatulence et ils augmentent la quantité de sperme.

L'oignon rouge alcalin, d'un goût âcre, parfois doux, stimule l'appétit. Il est extrêmement soporifique, il adoucit une gorge sèche. Il fait disparaître la bile et toute matière toxique dans le corps.

Les graines d'oignon guérissent les infections dentaires et les maladies urinaires. Il suffit cependant de mélanger régulièrement des oignons à sa nourriture pour prévenir tout ennui dentaire, parce que l'oignon protège les racines des dents de toutes sortes d'infections.

On soigne de nombreuses migraines en appliquant de la purée d'oignons sur la plante des pieds.

Dans les cas d'évanouissement, il suffit de faire inhaler quelques gouttes de jus d'oignon, à courts intervalles répétés, pour que le malade reprenne rapidement conscience.

Coupez des oignons en petits morceaux, ajoutez du vinaigre pur, du sel, du poivre noir et du cumin. Les oignons au vinaigre ainsi préparés soulagent immédiatement des coliques intestinales, constituent d'excellents digestifs et aiguisent l'appétit. On a expérimenté leur efficacité contre de nombreuses maladies de la rate, dont ils réduisent la dilatation jusqu'à un point normal. Ils constituent également un remède contre l'anémie.

Recette contre le choléra

Prenez 30 grammes d'oignons et sept grains de poivre noir. Écrasez-le tout jusqu'à obtenir une pâte fine. A peine cette pâte entre-t-elle dans l'estomac que la soif et la nervosité disparaissent et que l'on se sent mieux. Les crises de vomissement et de diarrhée sont aussi immédiatement calmées. C'est une recette ayur-védique éprouvée. Il est très rare de devoir recourir à une deuxième dose car la première suffit généralement. On peut également rajouter du sucre dans cette recette sans aucun danger. Cela ne la rend que plus efficace.

Préventions à prendre en cas d'épidémie de choléra

Il faut répandre de l'oignon partout dans une maison au cours d'une épidémie de choléra.

Régime à respecter en cas d'épidémie de choléra

Pelez des oignons et coupez-les en petits morceaux. Lavez-les ensuite sept fois. Puis rajoutez du vinaigre et du sel suivant vos goûts. Accompagnez-en vos repas.

On a expérimenté que l'oignon est un antidote contre les piqûres d'insectes venimeux, d'abeilles ou de guêpes. Si l'on applique de la pâte d'oignons à l'endroit de la piqûre, cela soulage de la démangeaison et de la brûlure occasionnée par le dard. Si l'on ne dispose pas de vinaigre on peut se contenter de frotter l'endroit piqué avec un simple morceau d'oignon.

Du jus d'oignon mélangé à de l'huile de moutarde constitue un bon remède pour masser des articulations enflammées, en effet ce traitement apaise l'inflammation des articulations et leur permet de jouer normalement.

L'ail

L'ail est un condiment connu depuis la plus haute Antiquité. On s'en sert pour assaisonner la nourriture dans beaucoup de pays. Il dégage une odeur très forte et son goût est piquant. Pour enlever l'odeur de l'ail on peut mâcher quelques grains d'anis, de café, de cardamone, de fenouil, de cumin, ou encore sucer une tranche de citron. L'ail est extrêmement tonifiant et antiseptique. On utilise fréquemment son essence dans diverses préparations médicales. Dans certains pays, on considère l'ail comme un remède universel contre les maladies.

Il contient du soufre, de l'iode, des silices, des fécules, du glucoside sulfuré, de l'oxyde d'allyle, etc. L'ail stimule et rééquilibre les glandes. C'est également un antiseptique intestinal et pulmonaire et qui, de plus, dissout l'acide urique et fluidifie le sang. C'est un diurétique, un antigoutteux vasodilatateur et hypotenseur, un antiscléreux, un anti-arthritique et antirhumatismal ainsi qu'un anti-asthmatique. En prenant un peu d'ail avec un morceau de sucre on peut calmer une crise d'asthme. L'ail active la digestion. Il élimine toutes sortes de flatulences. C'est un excellent remède contre l'hypertension artérielle, la fatigue cardiaque, les spasmes vasculaires, les troubles circulatoires, les varices, les hémorroïdes et les déséquilibres glandulaires.

On peut en fait utiliser de l'ail dans toutes les préparations culinaires pour le bien de la santé générale. Il est préférable de mettre de l'ail cru pour toutes les salades.

Hâcher deux gousses d'ail avec quelques touffes de persil et quelques gouttes d'huile d'olive; on peut manger le tout avec un morceau de pain, généralement au petit-déjeuner.

En mélangeant une mesure d'ail et deux mesures d'huile camphrée on obtient un bon remède pour se masser quand on a des rhumatismes. Si l'on s'en frotte le long de la colonne vertébrale, on élimine toute asthénie et toute faiblesse générale. En frottant avec de l'ail les piqûres de guêpes et d'insectes, on soulage immédiatement la douleur.

La soupe à l'ail est un excellent tonique vasculaire et elle fortifie le système nerveux. Dans les climats froids ou humides l'ail protège efficacement des affections respiratoires telles que les rhumes, les bronchites et l'asthme.

Comment préparer la soupe à l'ail

Prenez une gousse d'ail par personne et faites-la cuire à feu doux dans un peu d'eau avec du sel et du poivre noir. Quand les gousses d'ail sont bien cuites, écrasez-les entièrement. Battez un œuf pour deux personnes. Versez-y peu à peu la pâte d'ail en tournant lentement. Reversez ensuite suffisamment d'eau chaude, puis recouvrez le tout et remettez à feu doux. Servez chaud. Pour donner plus de goût on peut ajouter des croûtons frits au beurre frais.

D'après l'Ayur-Véda, les gousses d'ail enfermées dans une petite bourse que l'on noue autour du cou d'un malade ou que l'on applique sur le nombril sont vermifuges et préviennent de nombreuses maladies infectieuses.

Une nourriture idéale

Selon l'Ayur-Véda et le Yoga, la nourriture est responsable du développement physique, mental et spirituel de l'individu. L'alimentation étant, bien entendu, la source de la vitalité, les erreurs de régime alimentaire provoquent des troubles. C'est pourquoi il faut bien connaître les propriétés de ce que l'on mange.

En Inde, toujours selon l'Ayur-Véda et le Yoga, la nourriture est classée en trois catégories : satvik (nourriture pure ou de qualité supérieure), rajasik (qualité moyenne) et tamasik (qualité inférieure).

Tous les aliments qui entretiennent la santé du corps, lui donnent sa force et sa vitalité, l'immunisent contre les maladies et favorisent un bon équilibre physique, mental et spirituel, sont appelés satvik, c'est-à-dire nourriture de qualité supérieure, ou nourriture idéale. Ils sont faciles à digérer et n'entraînent pas d'accumulation d'acide urique ou autres éléments toxiques dans le corps humain. En absorbant de la nourriture satvik ou en suivant le régime alimentaire idéal, on peut conserver ses forces jusqu'à un âge très avancé sans être atteint par la maladie. C'est pourquoi l'alimentation satvik conserve le corps et l'esprit dans la paix et l'équilibre.

Dans la catégorie satvik, se trouvent les fruits, les légumes, les salades vertes, les lentilles, le lait, le yaourt, les fromages frais, le beurre frais, les noix, les amandes et autres fruits secs, le miel, le riz et les plats préparés avec de la farine de céréales complètes, en petites quantités.

A notre époque on considère qu'une nourriture bien équilibrée, selon la catégorie rajasik (qualité moyenne), peut comprendre des produits végétariens et en partie non végétariens, c'est-à-dire tous les aliments satvik combinés à des produits concentrés comme le beurre fondu, le sucre, les sucreries, les fritures, la viande, le poisson, les œufs, etc. Malheureusement, quand ces aliments ne sont pas bien préparés, s'ils sont frits, trop épicés, accompagnés de sauces qui en enrichissent la saveur, mais en détruisent l'élément satvik (pur), ils provoquent des douleurs ou des maladies.

Remarque importante : Lorsqu'on fait bouillir les aliments, c'est-à-dire la viande, le poisson et les végétaux à feuilles, on détruit tous les éléments vitaux nécessaires. Il est donc indispensable de cuisiner à la vapeur, en utilisant simplement l'humidité naturelle des aliments et la plus petite quantité de chaleur possible.

Si le Yoga permet la consommation des aliments de la catégorie rajasik (moyenne), en quantité modérée pour l'adolescent et l'homme adulte jusqu'à quarante-cinq ans, il la déconseille absolument à ceux ayant dépassé la cinquantaine ou qui ont choisi la voie spirituelle et qui doivent se nourrir exclusivement de produits satvik.

Tous les aliments qui ne sont pas frais, ou qui sont malpropres ou desséchés, entrent dans la catégorie tamasik, c'est-à-dire de qualité inférieure. Ils nuisent à l'équilibre physique et mental de l'homme.

On sait que tous les organes de notre corps reçoivent nourriture et vitalité par la circulation sanguine. Selon l'*Ayur-Véda,* l'alimentation humaine peut être divisée en deux groupes : les aliments alcalins et les aliments acides, les uns produisent un sang à prédominance alcaline, les autres un sang à prédominance acide.

Le sang acide possède la fonction de fournir de l'énergie au corps et de pallier ses déficiences, tandis que le sang alcalin nourrit les organes tels que les nerfs, les glandes, les os, la moelle, etc. De plus il est l'agent moteur de ces organes; il maintient en état de fonctionnement la machine humaine, tant du point de vue physique que du point de vue mental. Il détruit les microbes et protège le corps de toute maladie.

Les diététiciens modernes ont des opinions différentes en ce qui concerne la proportion exacte de sang acide et alcalin nécessaire au corps humain. Certains pensent que notre sang doit être alcalin à 80 % et acide à 20 % seulement, alors que d'autres estiment que la proportion de sang alcalin doit être de 75 % et la proportion de sang acide de 25 %.

Selon les maîtres de l'Ayur-Véda, 65 à 70 % d'alcalinité constituent le sang satvik (la catégorie de sang la plus pure). Par contre, lorsque la proportion d'alcalinité tombe en dessous de 65 % jusqu'à 55 %, le sang se trouve alors dans la catégorie rajasik (catégorie moyenne). Si cette proportion est inférieure à 55 %, le sang est qualifié de tamasik (catégorie inférieure), ce qui provoque de graves maladies. Cela signifie que le sang est excessivement acide au détriment de l'élément alcalin. C'est pourquoi nous devons veiller au maintien d'un bon équilibre sanguin, par une discipline alimentaire, en sachant bien quels sont les aliments à dominante alcaline.

Les fruits sucrés ou aigres, les légumes verts, les différentes sortes de lentilles, le lait, le yaourt, le beurre et le miel, etc. entrent dans la catégorie des aliments alcalins et produisent du sang alcalin après digestion. On trouve aussi tous les sels minéraux et toutes les vitamines dans la catégorie alcaline.

Le poisson, la viande, les œufs, les céréales et le riz font partie des aliments acides qui produisent du sang acide.

Les graisses telles que le beurre, l'huile, la margarine, le lard, etc. n'appartiennent ni à l'un, ni à l'autre des deux groupes étudiés.

Les fritures, y compris les œufs, les viandes, les aliments préparés à l'huile, au beurre, à la caséine ou autres corps gras, les gâteaux au beurre doivent être consommés le moins possible, même par un organisme en bonne santé.

Remarque : Il est donc conseillé, lorsqu'on mange de la viande ou du poisson, de les griller.

Le foie, le pancréas, qui sont des glandes du système digestif, sont surmenés lors de l'ingestion d'aliments trop fortement concentrés et s'affaiblissent, ce qui provoque par la suite leur mauvais fonctionnement et souvent la maladie. En conclusion, une extrême prudence est à observer pour cette catégorie d'aliments tant par les personnes saines que par les malades. De là, la nécessité d'une nourriture bien équilibrée pour conserver la santé de l'organisme.

Si l'homme savait se nourrir comme il faut, il se développerait mentalement et spirituellement, resterait sain et vigoureux et pourrait vivre au moins cent ans.

Le vieillissement prématuré; comment le vaincre

L'idée de vieillir provoque généralement une appréhension. Personne ne souhaiterait avancer en âge, c'est pourquoi il nous faut d'abord découvrir les causes d'une vieillesse prématurée : ce sont les soucis, la tension nerveuse, le manque de repos, les erreurs alimentaires.

Après avoir malmené leur corps pendant des années, en menant une vie irrégulière qui s'éloigne de la nature, beaucoup d'hommes se seront usés avant que l'élixir de la jeunesse ne soit découvert. Comment s'attendre à ce que la majorité de ceux qui utilisent des drogues, des stimulants, puis des tranquillisants, aient une bonne santé. Il est tragique de constater que la plupart des gens ne s'en rendent pas compte.

La science a découvert la raison du vieillissement. Ce n'est pas une maladie, mais un ensemble de facteurs. On a constaté qu'un des facteurs qui agit sur le vieillissement et précipite la mort est l'absence de sécrétions hormonales.

D'après certaines écoles de médecine, le corps humain se renouvelle complètement tous les sept ans. C'est-à-dire qu'il se reconstitue par un renouvellement constant de ses cellules. En relation avec notre taux vibratoire, ou selon que nos pensées sont optimistes ou

284

déprimantes, nous créons de nouvelles cellules dans notre corps.

En fait, à chaque instant de notre vie, nous transformons nous-mêmes notre corps, l'améliorant ou le détériorant selon nos pensées.

Il a été constaté qu'hommes et femmes peuvent changer l'aspect de leur corps par la puissance de leurs pensées, par la pratique régulière du Yoga, sous la direction d'un maître compétent, et faire d'eux-mêmes exactement ce qu'ils désirent être et paraître. Ceux qui sont déjà marqués par l'âge peuvent retrouver un état de jeunesse et prolonger ainsi leur vie.

Si nous examinons les différentes causes du vieillissement, nous nous apercevons que c'est un processus lent et progressif, durant lequel les différentes parties du corps perdent leur élasticité. Prenons l'exemple de nos os. A sa naissance, les os d'un enfant sont formés d'une substance élastique appelée cartilage. A mesure que l'enfant grandit, cette substance élastique cède lentement et graduellement la place à des substances minérales plus dures composées de phosphate et de carbonate de chaux. Durant la jeunesse, presque les deux tiers des os sont de substance minérale, et un tiers seulement est constitué de gélatine ou de cartilage. C'est pourquoi les os d'un bébé sont plus élastiques que ceux d'un adolescent. Au fur et à mesure qu'augmente le pourcentage de substances minérales, les os deviennent de plus en plus friables, et les signes de vieillissement font leur apparition.

L'élasticité du corps dépend également de l'état des vaisseaux sanguins. Petit à petit l'accumulation des dépôts sédimentaires (la chaux par exemple), dus aux impuretés contenues dans le sang, sur les parois des artères et veines ôte à celles-ci leur élasticité. Il est incontestable qu'à mesure que nous avançons en âge, ces dépôts provoquent l'artériosclérose, c'est-à-dire l'encrassement des artères par des dépôts calcaires; le résultat final étant une détérioration physique générale. A l'origine de ces impuretés, on trouve une mauvaise respiration, l'absence d'exercices physiques adéquats, un laisser-aller néfaste, des habitudes de vie artificielles et des erreurs de diététique. Plus le processus d'accumulation s'accélère, plus la vieillesse arrive rapidement.

L'élasticité des muscles joue aussi un rôle important pour la conservation de la jeunesse du corps. La perte de cette élasticité peut être due à l'accumulation anormale de graisse, répartie d'une façon égale ou inégale dans les muscles. Cette graisse peut être causée soit par des exercices violents et anarchiques, soit par une vie inactive. Une mauvaise digestion est également la cause d'une accumulation anormale des graisses, elle fait durcir les tissus musculaires. Un volume anormal de chair ne permet pas aux tissus de remplir leur rôle et d'assimiler complètement les éléments nutritifs nécessaires à partir du sang. Il gêne également la liberté de mouvement de nos muscles et empêche les parties vitales du corps, telles que le cœur, les poumons, l'estomac, les intestins, de remplir leurs fonctions respectives dans de bonnes conditions.

Les athlètes eux-mêmes ne sont pas à l'abri des conséquences nuisibles dues à l'accumulation anormale des graisses. Par la pratique du système yoguique, nous pouvons conserver l'élasticité de la jeunesse, éliminer la croissance des dépôts minéraux dans nos os, contrôler l'accumulation des dépôts sédimentaires et les éliminer, s'il en existe déjà en trop grande quantité dans les vaisseaux sanguins, réduire le surplus de graisse au minimum, et donc retrouver dans une grande mesure notre jeunesse perdue.

Mais que se passe-t-il lors du processus de vieillissement? Entre trente et quatre-vingt-dix ans, le poids de nos muscles diminue de 30 % et notre force d'autant. Le nombre de fibres nerveuses composant un nerf se réduit d'un quart. Le poids du cerveau diminue sensiblement, les cellules mortes n'étant plus remplacées, l'ensemble des fonctions physiques ralentit. La puissance musculaire faiblit, le cœur pompe moins de sang et son temps de récupération après l'effort est plus long : à quatre-vingt-dix ans, le volume de sang pompé n'est plus que la moitié de ce qu'il était à vingt ans. Les poumons filtrent moins d'air, doivent donc travailler davantage pour obtenir un volume d'oxygène donné. Quelles en sont les raisons? On a observé ces dernières années avec quasi-certitude que cela est dû à la défaillance accidentelle et à la mort éventuelle de cellules individuelles du corps, les unes après les autres. On meurt souvent d'un arrêt cardiaque, car le cœur est un muscle et lorsque les cellules du muscle cardiaque meurent, elles ne sont pas remplacées. Par ailleurs, si l'on soumet un des organes vitaux à un effort violent, ou si celui-ci est affaibli par une infection, il sera le premier à « lâcher ». Ainsi donc, un remède à la mort des cellules préserverait la force de notre jeunesse et prolongerait la durée de notre vie. Prenons le cas de la force musculaire. Un homme de 70 ans n'a normalement que la force qu'il avait à l'âge de 12 ou 13 ans – environ la moitié de celle de ses

20 ans. La force musculaire est tributaire du volume de protéines, or la capacité du corps humain de fabriquer des protéines dépend étroitement de l'existence de l'hormone mâle testostérone.

Il a été découvert récemment que le facteur physique peut être dominé par le facteur psychique. C'est le psychisme qui agit souvent sur la sécrétion des hormones, en effet, celle-ci se trouve sous contrôle émotif.

Dans le domaine de la prolongation de la vie, l'hibernation joue un grand rôle. Elle nous permet d'atteindre un âge « chronologique » plus élevé, mais le temps gagné de cette manière échappe au contrôle de notre conscience. On a beaucoup parlé récemment de la possibilité de plonger le corps humain dans un état de congélation et de l'y conserver pendant un temps. L'état d'hibernation est différent du sommeil : la température du corps tombe dans certains cas à quelques degrés au-dessus de zéro. Les battements du cœur ne sont plus que de trois par minute et la respiration peut être réduite à une seule toutes les trois minutes. Ainsi donc cette « hibernation inconsciente » pourrait prolonger sensiblement la durée de la vie. Mais, par contre, les mécanismes d'élimination et d'adaptation étant également ralentis, il se pourrait que nous ne nous sentions pas tout à fait bien reposés au moment du réveil.

On a constaté que l'état de supra-conscience (Samadhi) – but ultime de la vie spirituelle – assure de meilleures conditions physiques que l'hibernation. Dans l'état de supra-conscience, les rythmes cardiaque et respiratoire sont réduits au minimum, de sorte que la dépense d'énergie pour maintenir la vie est moins grande.

L'hibernation est cependant un état n'assurant aucune lucidité, tandis que, dans l'état de supra-conscience, la lucidité est à son maximum.

Selon le rapport médical, le cœur humain pompe tous les jours dix tonnes de sang. Si, pendant la nuit, on pouvait dans son sommeil atteindre un état de relaxation complète, les battements pourraient alors être réduits de 10 % et le cœur s'userait bien moins rapidement.

« A la base du cerveau, se trouve le cervelet. C'est l'organe de la coordination et de l'harmonisation des mouvements. Si notre cervelet était atteint, au lieu de porter notre nourriture à la bouche, nous la porterions peut-être à l'oreille.

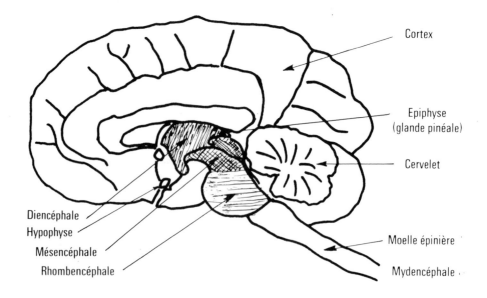

Le cervelet collabore, en outre, avec le cerveau infiniment plus qu'on ne le dit généralement pour permettre l'élaboration du psychisme. Il est à la fois un auto-régulateur et un réservoir d'énergie.

Après le cervelet, nous rencontrons l'encéphale médian. Il comprend la formation réticulée; en cette formation réticulée, on distingue le rhombencéphale et le mésencéphale. En dehors de la formation réticulée, le centrencéphale comprend le diencéphale, composé du thalamus et de l'hypothalamus. Le thalamus, l'organe du plaisir et de la douleur, est relié au cortex par le rhinencéphale.

Le rhinencéphale module l'activité viscérale du centrencéphale. C'est le régulateur de la colère et de l'apathie, de l'hyperactivité ou hypo-activité sexuelle.

L'hypothalamus est relié, comme le thalamus, au cortex par le rhinencéphale; il joue un rôle fondamental dans la régulation hormonale, c'est l'organe des besoins organiques : faim, soif, fonction génitale, etc. »

R. TOURNAIRE, de l'Université de Paris,
professeur à la faculté des sciences,
dans l'avant-propos de
Spiritualité de la matière de R. LINSSEN.

On voit donc l'importance de l'hypothalamus, partie inférieure du cerveau. L'anatomie nous apprend que le sommeil profond est un état où tout le corps et tout l'appareil mental et psychique sont inactifs, mais non pas l'hypothalamus qui est actif et se recharge comme

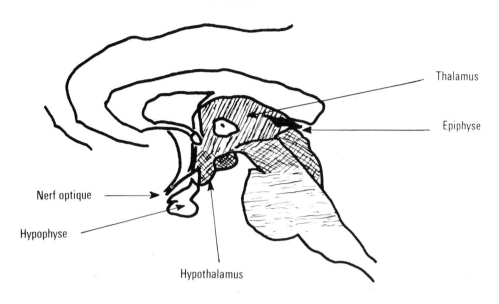

Thalamus

Epiphyse

Nerf optique

Hypophyse

Hypothalamus

une batterie. Les découvertes importantes faites sur le sommeil profond aussi bien en Amérique qu'en Europe – dans ce domaine, la contribution de M. Jouvet, de Lyon, est capitale – aboutissent à la constatation que l'état de sommeil profond, ou sommeil sans rêves, est un état actif. Jusqu'à présent, on avait pensé qu'il s'agissait d'un état passif : mais aujourd'hui la science révolutionne cette idée. Ce qui est étonnant, c'est que les savants hindous soient arrivés à la même conclusion il y a deux mille ans par la voie intuitive. Dans la *Mandukya-Upanishad,* nous trouvons un verset qui dit que le sommeil est l'état le plus régénérateur, puisque dans le sommeil on s'identifie à la conscience universelle.

Les Yogis attachent une très grande importance à la colonne vertébrale et à sa jonction avec le cerveau. Selon eux, la Sushumna, canal creux qui se trouve au centre de la colonne vertébrale, est le champ de très hautes expériences spirituelles et mystiques, (voir chapitre « les Nadis, les Chakras et la Kundalini », p. 55). L'importance vitale de la colonne vertébrale est bien mise en valeur par plusieurs postures yoguiques inversées, telles que le Viparîtakarani, le Sarvangâsana, et le Sîrshâsana, qui irriguent abondamment de sang la jonction. Elles permettent ainsi la régénération de cette région, et la détendent.

Il nous convient de parler de l'efficacité de la respiration rythmée et alternée (pp. 84-88), remède suggéré par le Yoga contre le vieillissement des muscles. D'abord la respiration rythmée facilite une plus grande oxygénation, et l'oxygène aide la transformation de la nourriture en protéine et calcium. C'est l'incapacité du muscle d'assimiler les protéines qui le rend vieux. Ensuite, la respiration rythmée nous aide à établir l'équilibre entre la base du système nerveux et celle du système neuro-végétatif. Les exigences de la vie moderne nous font dépenser beaucoup plus que ce que nous gagnons en énergie nerveuse. C'est seulement en trouvant un équilibre entre ce que nous gagnons et ce que nous dépensons que nous pouvons maintenir notre potentiel de santé.

Rien d'étonnant dans le cas des Yogis qui vivent en ne mangeant presque rien : par l'équilibre qu'ils arrivent à établir entre les deux bases, leur dépense se réduit au minimum. J'ai pu moi-même constater de mes propres yeux qu'un Yogi âgé de 90 ans n'en paraissait que 40 ou 45. Bien sûr, tout le monde ne peut pas être un vrai Yogi. Mais il est certain que, si le vieillissement peut être accéléré, on peut raisonnablement supposer qu'il doit également pouvoir être retardé, sinon arrêté, par la pratique régulière du Yoga qui peut aussi permettre à l'individu de rajeunir.

Les trois sortes de mouvements dans la respiration : vers le centre, vers la périphérie et vers le haut, sont efficaces pour tous les fonctionnements auto-régulés et auto-régulateurs, comme ceux des systèmes sympathique et glandulaire et l'irrigation cérébrale sanguine. Le Yoga proclame que la respiration rythmée peut changer l'angoisse, en agissant sur le sympathique et sur le thalamus.

Donc le Yoga nous enseigne comment le corps doit être mis en condition parfaite et soumis au contrôle rigoureux de l'esprit. L'âge n'est pas un obstacle, personne n'est trop vieux pour faire du Yoga. Ceux qui, physiquement, ne sont pas en état d'exécuter des postures difficiles peuvent cependant pratiquer en toute sécurité la respiration appropriée, c'est-à-dire la respiration rythmée et la respiration alternée, la relaxation, et quelques postures simplifiées qui assouplissent les articulations en les lubrifiant, de sorte que la circulation sanguine et l'énergie vitale restent en parfaite condition.

Conclusion

Il existe dans le Yoga trois armes principales contre le vieillissement précoce. L'une consiste à mettre le corps en position inversée, ce qui augmente le volume de sang artériel dans la tête, irrigant le cerveau et stimulant la vigueur mentale, nourrissant la peau et les tissus du visage, prévenant et estompant ainsi les rides. L'autre est le Prânâyâma (respiration contrôlée, rythmée et alternée); par ce moyen, un corps fatigué peut se recharger complètement d'énergie vitale, comme une batterie d'accumulateurs se recharge en la branchant sur le courant. La troisième est une diététique bien équilibrée. J'ai déjà pu constater que des personnes ayant pratiqué le Yoga sous ma direction sont devenues plus jeunes de visage et de corps, ont bénéficié d'une vitalité accrue et de facultés intellectuelles améliorées. La virilité chez les hommes est régénérée; la menstruation chez les femmes est régularisée dans une large mesure. Par cette méthode, on reste jeune et plein de vitalité, et la vie peut être prolongée.

Comment
avoir une vie
sexuelle
bien équilibrée
et bien contrôlée

On m'a souvent demandé s'il existait quelques règles générales pour mener une vie sexuelle normale. Le besoin de libération de l'instinct sexuel est une question individuelle; il est impossible de fixer des normes. Cependant, on ne saurait nier l'importance d'une vie sexuelle bien équilibrée et bien maîtrisée. Chaque personne réagit différemment selon son tempérament. Mais il est certain que tout individu a la capacité de diriger sa vie sexuelle et peut s'en rendre maître.

L'être humain est, par nature, affamé d'union avec le sexe opposé. Si son désir d'union physique n'est pas stimulé par un véritable amour, il ne mène qu'à l'union passagère, car le désir sexuel crée, momentanément, une sorte d'illusion amoureuse entre l'homme et la femme et une certaine incitation à s'unir. Lorsque cette illusion passagère s'évanouit, ils se sentent à nouveau étrangers, et se retrouvent aussi séparés l'un de l'autre qu'avant.

Beaucoup de personnes comprennent mal l'idée même de l'amour. Elles pensent que l'amour naît seulement, lorsque l'on désire s'unir l'un à l'autre pour satisfaire des instincts sexuels réciproques. Selon Freud et certains psychiatres, l'instinct sexuel résulte d'une tension d'ordre chimique dont le corps doit être débarrassé. Ce n'est pas de l'amour, c'est une simple aspiration à se libérer de l'instinct sexuel, et il conduit à un sentiment de vide et à la solitude.

En fait, l'instinct sexuel est une tendance naturelle qui pousse les êtres à s'unir. Cette tendance, maternelle chez les femmes et paternelle chez les hommes, les incite d'une part à procréer, sans quoi l'humanité ne pourrait se perpétuer, et d'autre part à rechercher des sensations voluptueuses qui ont leur fondement biologique. C'est donc cet instinct qui engendre l'amour et éveille le désir sexuel.

Une union, fondée seulement sur une satisfaction sexuelle réciproque se termine tristement. L'amour ne doit pas avoir pour unique but une satisfaction sexuelle, mais un épanouissement moral. L'amour ne doit pas être seulement la conséquence d'une réaction spontanée, le fait d'être envoûté par un sentiment irrésistible, mais il doit comporter une entente, de la sollicitude et du respect mutuel, de la tolérance et la faculté de faire des sacrifices réciproques d'où naissent la compréhension parfaite et la confiance mutuelle. L'amour n'est pas seulement une sensation, car une sensation est éphémère. C'est pourquoi l'amour doit être l'union, dans une parfaite harmonie, de deux êtres qui veulent compléter l'un par l'autre leurs aspects masculin et féminin.

L'union des polarités masculine et féminine chez tout être est remarquablement soulignée dans les *Puranas* (anciennes écritures sacrées de l'Inde) par l'anecdote suivante :

> « Un jour le Seigneur Shiva prit la forme d'Ardha-Nari, c'est-à-dire d'un être mi-femme, mi-homme, pour montrer aux demi-dieux que les principes masculins et féminins coexistent en chaque homme et chaque femme. »

C'est pourquoi chacun d'eux recherche l'autre partie, masculine ou féminine, de lui-même, dans l'espoir de retrouver l'union complète en lui-même.

Les hommes et les femmes portent en eux la faculté d'un échange biologique. Leur union représente l'expérience la plus passionnante de la vie humaine. Le désir d'unité totale ne trouve jamais de satisfaction complète dans l'union physique seule, même si nous devions en poursuivre mille fois l'expérience. Sur le plan spirituel, cet accomplissement est l'essence de l'expérience mystique de l'unité. « L'âme n'a pas de sexe », disent les Upanishads.

La perfection de l'union peut être empêchée dans certains cas. Elle ne peut pas être réalisée par certains handicapés physiques, par d'autres qui souffrent de troubles glandulaires ou psychiques, et ceux qui souffrent de perversion sexuelle. Tous ceux-ci sont incapables d'atteindre la plénitude de l'unité. De ce fait, ils sont victimes d'un sentiment de solitude et de frustration.

Un égoïste qui ne s'intéresse qu'à lui-même veut tout pour lui, ne prend aucun plaisir à donner, mais seulement à recevoir et ne juge les gens et les choses que par rapport au profit qu'il peut en tirer. Il est absolument incapable d'aimer qui que ce soit. En fait son narcissisme le rend malheureux.

Il arrive que la frigidité chez la femme et l'anxiété psychique chez l'homme, ou simplement la crainte ou la haine du sexe opposé, les empêchent de se donner complètement l'un à l'autre, ou d'agir spontanément et d'avoir confiance l'un en l'autre au moment où ils pourraient se rapprocher physiquement.

Une forte anxiété, la défiance, ou une baisse de la sexualité chez l'homme et chez la femme engendrent une tension qui peut se traduire en sadisme ou en tendances masochistes. Pour se libérer de cette tension, l'homme, ou la femme, ou, le plus souvent, les deux à la fois s'en prennent l'un à l'autre et se font des scènes réciproques.

Lorsqu'un homme et une femme sont en conflit continuel et se querellent, une tension perpétuelle existe dans leur foyer. En pareil cas, les enfants souffrent de la mésentente de leurs parents et peuvent avoir des troubles nerveux. Ils n'ont de rapports intimes ni avec leur père, ni avec leur mère. Ils se sentent privés de sécurité, d'amour et d'affection. Ils sont solitaires, déroutés, soucieux. Souvent, ils éprouvent de l'angoisse, n'ont pas confiance en eux, se retirent dans un monde à eux, ce qui pourra leur nuire dans la vie.

On a observé que, du point de vue psychologique, tous ces désirs insatisfaits d'union entre un homme et une femme sont parfois compensés par le cinéma ou par la lecture d'histoires d'amour. Les spectateurs s'identifient aux acteurs et participent au dénouement heureux ou malheureux des scènes d'amour d'un couple. Mais, sitôt revenus à la réalité, ils se sentent à nouveau seuls et vides.

On a prouvé par la médecine et par la psychanalyse que les hommes et les femmes qui s'adonnent sans freins aux satisfactions sexuelles n'atteignent pas non plus le bonheur, et très souvent souffrent de graves troubles d'ordre neurotique.

Quelques-uns s'abandonnent à une trop grande activité sexuelle à cause de certains complexes, comme le faisait Don Juan qui avait besoin de faire la preuve de ses pouvoirs de mâle, parce qu'il n'était pas sûr de sa virilité. D'autres pensent que le temps passe vite et qu'il ne faut pas manquer la moindre occasion de jouir. D'autres encore veulent éprouver une exaltation passagère et croient qu'une vie sexuelle active est un signe de jeunesse. Certains veulent assouvir des instincts pervers. Par esprit de vanité, certaines personnes veulent toujours conquérir ou être conquises. Tous veulent échapper à l'inquiétude dont ils sont la proie.

Certains utilisent des stimulants et des drogues pour exacerber leur érotisme, estimant que, sans vie sexuelle active, leur vie est sans intérêt, que « tout manque si la vie sexuelle est absente » !

En tout état de cause, une sexualité excessive provoque une usure, un épuisement, une déperdition de force vitale. Le corps devient alors la proie de nombreuses maladies qui abrègent la vie. « L'excès en tout est un défaut », dit un proverbe ancien.

L'énergie créatrice séminale qui se trouve à la base de la vie est notre grand trésor. Lorsqu'elle se transmue en *Ojas* (vigueur ou vitalité), et se met en réserve dans le cerveau, on acquiert la capacité de faire un immense travail mental sans le moindre effort, on devient plus intelligent, on acquiert du magnétisme et de la personnalité.

Toutes les forces contenues dans l'organisme sous leurs formes les plus intenses peuvent être transformées en *Ojas*. Il faut savoir comment s'effectue ce phénomène. Les anciens Maharishis, ainsi que les Yogis, nous assurent que, de toutes les sources d'énergie que renferme le corps humain, la plus haute est celle qu'ils appellent *Ojas*. Plus il y a de *Ojas* dans le cerveau d'un homme, plus sa puissance, son intelligence et son niveau spirituel seront élevés. On a souvent constaté qu'un homme peut être éloquent et exprimer de belles pensées, sans faire aucune impression sur ceux qui l'écoutent, tandis qu'un autre bien moins doué, sans aucune facilité de langage, et sans belles idées, charme ses auditeurs : c'est la puissance du *Ojas*.

Ainsi, une vie sexuelle bien équilibrée et bien maîtrisée ne représente pas seulement une économie de forces, mais préserve aussi l'individu. Sans en faire une ascèse, la maîtrise de soi et la continence dans la vie courante donnent une force intérieure et la paix de l'esprit. Elles équilibrent le corps en renouvelant les cellules et les tissus. Une vie sexuelle contrôlée aide à conserver l'énergie physique et mentale. Elle augmente la mémoire, fortifie la volonté et la puissance intellectuelle, et la génération de sperme vivant peut se prolonger jusqu'à un âge très avancé.

Mais dans la vie des hommes et des femmes, il arrive une époque où ils subissent une transformation. C'est la ménopause. Naturellement, chacun réagit à sa façon, car c'est un processus individuel tant chez la femme que chez l'homme.

Souvent, les deux croient, par erreur, que la capacité sexuelle disparaît durant et après cette période. C'est faux. Il arrive quelquefois que les désirs sexuels, à cause de la fatigue physique, ou de soucis constants, ou encore par suite d'une mauvaise alimentation, soient diminués chez les hommes et chez les femmes. Cela ne veut pas dire que la vie sexuelle en soit terminée pour autant.

Cette transformation, c'est-à-dire la période de la ménopause, doit être envisagée d'une manière constructive et acceptée avec optimisme. On a observé qu'un homme et une femme qui s'accordent bien, dont la vie est pleine d'intérêt et d'activité et qui sont très occupés, souffrent moins que ceux qui sont paresseux, désœuvrés et qui ne s'intéressent à rien : ceux-ci manquent alors de confiance en eux-mêmes. Ce qui importe le plus, c'est que nous ayons envers la vie une attitude positive, constructive et optimiste. Notre esprit doit s'entraîner à plein et nous rendre actifs, car la transformation commence dans notre esprit. Si nous permettons à notre esprit de se concentrer à loisir sur nos maladies, il les prolonge bien plus que nous ne l'imaginons. Il ne faut jamais s'apitoyer sur son propre sort.

Les symptômes inquiétants et déprimants physiquement et psychologiquement, tant chez les femmes que chez les hommes, pendant cette période de ménopause, peuvent être surmontés à l'aide des stimulants intellectuels et du Yoga. Nous avons appris dans le chapitre sur la puissance de l'esprit (p. 45) que, par des pensées positives, nous pouvons acquérir les conditions désirées pour notre corps, tandis que des pensées négatives apportent la maladie et la misère.

L'Institut de Recherche sur le Yoga, à Lonavla, en Inde, a obtenu des résultats remarquables dans ce domaine.

N'oublions pas que les glandes sexuelles jouent un rôle extraordinaire dans le mécanisme qui est à la base de la formation et de la concentration des éléments vitaux du corps. Les gonades reproduisent comme un duplicata le corps même de l'homme et suscitent le désir sexuel qui est à l'origine de la réalisation créatrice de l'être humain, car les tubulures séminifères des gonades produisent le sperme, qui, lorsqu'il rencontre l'ovule, donne naissance à un nouvel individu. C'est pourquoi l'hormone testiculaire joue un rôle si important, aussi bien dans le développement musculaire que dans le conditionnement du cœur et sa résistance, dans l'accumulation et la distribution des graisses qui sont les caractéristiques du corps masculin et dans la formation de l'hémoglobine.

La conservation de l'énergie des gonades est un facteur extrêmement important pour le maintien de notre santé, de notre vitalité et de notre vigueur; mais, de plus, le fruit de cette sécrétion externe est également une substance extrêmement précieuse qui peut être utilisée pour développer de plus grands pouvoirs physiques, mentaux et spirituels. Les anciens Maharishis, ainsi que les grands Sages, y ont découvert le secret de la prolongation de la jeunesse, de la vigueur d'esprit, de l'intelligence suprême, de l'efficacité dans la vie et de la plénitude du développement spirituel.

La volonté d'effort continu, le pouvoir de concentrer son énergie, tant passionnelle que mentale et physique, aussi bien que celui d'éveiller nos pouvoirs latents dépendent beaucoup de la maîtrise sexuelle. Le laisser-aller donne les résultats opposés. Mais il n'est pas facile de contrôler l'instinct sexuel. Les émotions qu'il provoque et le désir demeurent en très grande partie sous l'influence des matières chimiques sécrétées par les gonades. Ce phénomène dépasse donc le rayon d'action de la simple maîtrise psychique. Lorsque le désir est éveillé et stimulé, par l'imagination ou quelque autre circonstance, il devient extrêmement difficile de le contrôler et d'asservir la puissance de la force créatrice.

Autant que possible, il faut mener une vie sexuelle pure et contrôlée, en observant les lois de la continence. Selon un vieux proverbe hindou « la modération demeure la règle d'or ». C'est pourquoi ces forces doivent être utilisées avec sagesse au cours de la vie sexuelle.

La pratique du Yoga ne pose aucun obstacle au mariage. Un bon nombre de Yogis et de Sages de l'Inde ancienne, et des mystiques du Moyen Age dans les diverses civilisations menaient une vie conjugale normale et cela ne les empêchait pas d'atteindre leur but.

Par la pratique du Yoga sous la direction d'un maître compétent et en observant les règles d'une diététique bien équilibrée, on peut atteindre un haut degré de maîtrise sexuelle.

Tous les textes sur le Yoga s'accordent pour dire que la suppression du désir sexuel et la continence forcée ne sont pas rationnelles. La science médicale et la psychanalyse ont également prouvé que l'abstinence forcée peut mener à la frustration et à la perversion, qui sont à l'origine de symptômes neurotiques. Le désir sexuel doit être sublimé et transformé, mais non refoulé, car le refoulement peut faire beaucoup de mal et devenir la source d'une agitation constante.

Le Yoga ne s'adresse pas uniquement aux célibataires. La continence est un état d'esprit, que l'on soit marié ou non. La continence n'est pas une négation, une austérité imposée ou la prohibition, mais une façon de discipliner et de maîtriser nos pensées, car la sensualité ne réside pas dans notre corps ou dans nos sens, elle est dans nos pensées, donc il nous faut apprendre à maîtriser et discipliner nos pensées.

Les grands Yogis de l'Inde ont perfectionné une méthode et l'ont offerte à l'humanité. Ils enseignent comment équilibrer l'énergie sexuelle, la régler et la contrôler par la respiration, la pratique régulière des Asanas (postures), des Mudras (postures d'endurance), et des Bandhas (postures où certains organes du corps sont contractés et dominés), de telle sorte que tous, quel que soit leur cas, peuvent suivre facilement leur enseignement, en retirer un grand bienfait thérapeutique et mener une vie équilibrée et heureuse.

Cette méthode est valable pour tous :
– pour ceux qui sont mariés et mènent à la fois une vie de famille et une vie sociale,
– pour ceux qui ont des problèmes d'ordre neurotique, psychologique et psychique,
– pour ceux qui ont renoncé au monde afin de s'engager dans la voie spirituelle et mener une vie de chasteté complète, pour diriger leur énergie sexuelle jusqu'aux centres nerveux supérieurs, et atteindre plus rapidement le But, c'est-à-dire la réalisation du Soi.

SEPTIÈME PARTIE

« *Comme le vent rassemble les nuages puis les disperse,
l'esprit crée les attaches, puis les rompt.* »

SHANKARACHARYA

Conseils utiles

Le repos et la relaxation

Nous pouvons apprendre facilement à nous relaxer et à nous reposer par la pratique du Savâsana (p. 176) et de la respiration rythmée (p. 84), à améliorer ainsi la qualité de notre sommeil et recharger régulièrement notre corps en énergie vitale. Par la relaxation yogique, l'esprit se tranquillise de telle sorte qu'il est semblable à un poste émetteur d'ondes transmettant des vibrations de quiétude intérieure et de paix. Alors seulement, nous connaîtrons le vrai repos.

Le sommeil

Il est très important que nous puissions nous endormir à dix heures du soir, ou dix heures et demie au plus tard. C'est avant minuit, en effet, que la position cosmique de la terre offre les radiations les plus favorables à la régénération de notre système nerveux. On dit que les meilleures heures pour le sommeil et le repos complet se situent entre dix heures du soir et quatre heures du matin.

Les boissons et le tabac

Il vaut mieux s'abstenir de fumer et éviter les boissons alcoolisées. Le tabac et l'alcool détruisent les centres nerveux que le Yoga a pour but d'animer. Leur abus conduit non seulement à une détérioration de la santé, mais également de la force mentale et de la vigueur.

Les drogues

Il faut absolument éviter les drogues. Elles ont un effet néfaste sur le système nerveux et le système digestif, et ruinent l'éclat du teint. Ces toxiques sont un véritable poison pour le corps et pour l'esprit. Ils diminuent les facultés mentales et annihilent la force de volonté et de résistance.

Les bains

Nous devrions prendre un bain ou une douche quotidiennement, mais jamais immédiatement après l'exécution des Asanas ou des exercices de Pranâyâma; attendons au moins une demi-heure. Il ne faut pas non plus se baigner après le repas, avant que la digestion ne soit terminée. S'il est difficile de prendre un bain ou une douche tous les jours, des ablutions complètes peuvent les remplacer. Celles-ci donnent à la peau l'occasion de s'aérer, car, perpétuellement couverte de vêtements épais, elle ne peut respirer suffisamment. Les ablutions et les bains d'air sont nécessaires pour donner au corps une sensation de fraîcheur et lui permettre de dégager une odeur agréable.

Les bains d'air

Ils sont extrêmement bénéfiques. En permettant aux pores de respirer librement nous favorisons le tonus extérieur de notre système neuro-végétatif et nous développons une merveilleuse capacité de résistance.

Les bains de soleil

Une autre forme de bain pour nous est le bain de soleil. Il est une source d'énergie et de force à condition d'être pratiqué à bon escient. Les rayons du soleil sont un tonique merveilleux si on n'en abuse pas.

Si nous pouvons demeurer à l'ombre au bord d'une rivière, d'un lac ou de la mer et laisser venir à nous les rayons réfléchis par l'eau, ils s'avèrent plus bénéfiques que les rayons directs.

Lorsque le soleil se trouve voilé de nuages et de brume, l'effet produit par les rayons, alors filtrés, est très fort et l'on brunit aussi bien. Le meilleur moment pour prendre un bain est le matin, à l'aurore, lorsque le soleil vient de se lever. C'est alors qu'il guérit bien des maux. Il est porteur de vitamines D et nous recharge de vitalité.

La natation

Si nous avons l'occasion de nager dans une rivière, un lac ou surtout la mer, nous devons en profiter pleinement, car notre peau se trouve tonifiée par les minéraux, l'iode et l'air pur très riche en ozone. La natation est le meilleur exercice pour régulariser et maîtriser la respiration, ce qui est merveilleusement bienfaisant pour notre santé.

Bain de nez

En cas de rhume, remplir un bol d'eau chaude, aussi chaude qu'on puisse le supporter, et y ajouter une cuillerée à café de bicarbonate de soude ou de sel de mer. Puis, plonger le nez dans le bol en aspirant l'eau par les deux narines jusqu'à ce qu'elle coule dans la gorge, et rejeter cette eau par la bouche. Ensuite pratiquer le Viparîtakarani ou le Sarvangâsana. En faisant cela deux ou trois fois par jour – mais jamais après les repas – l'on peut être sûr de se débarrasser du rhume le plus tenace.

La marche nu-pieds

Chaque fois que nous le pouvons, surtout en été, nous devrions marcher pieds nus dans les champs, sur les berges des rivières, des lacs ou au bord de la mer. Ceci, parce que la plante des pieds absorbe des radiations terrestres qui fortifient et rafraîchissent notre organisme d'une manière extraordinaire.

L'alimentation

Chaque repas doit se prendre en quantité modérée. Il faut mastiquer à fond, de telle sorte que la nourriture soit bien mélangée à la salive pour être absorbée facilement et assimilée par l'organisme. L'ingestion de viande est permise dans les pays froids, mais il faut faire remarquer que la consommation excessive de ce produit apporte beaucoup de déchets et de toxines, et met sévèrement à l'épreuve les organes digestifs.

Il est indispensable d'exécuter les Asanas et le Prânâyâma, l'estomac vide. Après un repas lourd et copieux, il faut laisser passer quatre heures ou quatre heures et demie au moins avant d'entreprendre les exercices. On peut les pratiquer à la rigueur une heure et demie après avoir pris soit un jus de fruit, soit une tasse de thé ou de lait, avec une ou deux biscottes.

Ce livre a été écrit dans le but de nous apprendre, au moyen du Yoga, à discipliner nos pensées et nos émotions et à ne pas nous laisser influencer par l'entourage et les circonstances extérieures.

Nous devons toujours demeurer bienveillants et optimistes en pensées, en paroles et en actions. *La devise de notre vie doit être la joie, l'harmonie et la paix et non la dissension.* En suivant les enseignements du Yoga, n'oublions pas d'avoir toujours présent à l'esprit le vieux proverbe sanscrit qui dit qu'« un humble début est toujours sans danger ».

Le facteur le plus important pour arriver au résultat désiré est l'autodétermination, la patience et la persévérance.

UPANISHADS

SURYA NAMASKAR

SALUTATION AU SOLEIL

Surya Namaskar
La Salutation au Soleil

SURYA NAMASKAR signifie « la Salutation au Soleil » (*Surya* : soleil et *Namaskar* : la salutation). Le nom sanscrit originel de Surya Namaskar est *sashtanga surya namaskar* ; il s'agit d'un hommage ou d'une prière au soleil, que l'on effectue en se prosternant de façon que le corps touche le sol en huit points : orteils, genoux, paumes, poitrine et front.

Depuis des temps immémoriaux, le Soleil est considéré comme la source de toute énergie, à l'origine même de la vie. L'homme a toujours recherché le soleil pour la lumière, la chaleur, la santé, l'hygiène, la nourriture qu'il procure. Pour l'homme primitif, l'astre Soleil n'était qu'une boule de feu qui voyageait d'un côté à l'autre de son horizon quotidien en s'arrêtant haut dans le ciel au milieu de la journée. A mesure du développement de sa connaissance l'homme a commencé à démontrer sa gratitude par divers rituels et cérémonies au Soleil qui faisait mûrir ses récoltes, fructifier la terre.

Des traces de cette vénération peuvent être décelées chez les Celtes (dieu Belen), au Mexique, chez les Mayas, en Egypte, en Perse, chez les Grecs (temple d'Apollon). En Inde, il y a des milliers d'années, les anciens Rishis (grands Sages) témoignaient leur reconnaissance au Soleil lui rendant hommage en priant à son lever et à son coucher. Le culte du Soleil fait donc partie du fonds commun de l'humanité, car le Soleil est la source de la lumière et de la chaleur ; toute vie organique se trouve insensiblement et directement sous son influence.

En Inde, Surya Namaskar est une forme de Yoga pratiqué depuis des temps très anciens qui remontent jusqu'à l'époque des Védas.

Cette prière au Soleil, qui a une valeur symbolique et spirituelle, autant que physiologique, a été élaborée par les Rishis védiques pour recharger corps et esprit d'énergie nouvelle. A cette époque, Surya Namaskar était pratiqué par tous, par les maîtres et leurs disciples, mais aussi par les laïcs, jeunes et vieux, hommes et femmes.

Les textes les plus anciens y font référence : le *Ramayana* (célèbre épopée et livre sacré des hindous) raconte que, lorsque Rama fut épuisé par sa lutte avec le démon Ravana, il reçut ce précieux savoir du Sage Vishvamitra. Et il le mit en pratique avec tant de ferveur qu'il retrouva ses forces et gagna la bataille. La signification symbolique de cet épisode est qu'en pratiquant Surya Namaskar on peut acquérir une énergie et une force suffisantes pour combattre l'ennemi à l'intérieur de soi, tels que l'inertie, la paresse, la faiblesse, le découragement, qui sont autant d'entraves à l'épanouissement de l'être humain.

L'émission rythmique, à voix haute, de certains sons appelés *bija-mantras* (sons-semences) associés avec les noms du Soleil, forme une partie essentielle de Surya Namaskar. Prononcés correctement, ces *bija-mantras* créent dans le corps des vibrations qui le revitalisent, mais aussi stimulent l'esprit et l'intellect.

Sur le plan physique, les postures du Surya Namaskar, harmonieusement enchaînées, donnent vigueur et souplesse au corps, elles tonifient muscles et viscères. Lorsque les mouvements sont faits avec un parfait contrôle de la respiration, ils purifient le corps et l'esprit et renforcent la volonté. La répétition des mantras a un effet vivifiant sur les centres nerveux et subtils *(chakras)*, véritables réserves et distributeurs de l'énergie prânique ou force vitale.

Avant d'entamer une série complète de Namaskars, étudions maintenant l'ordre dans lequel ils doivent être exécutés. Il s'agit donc d'un exercice rythmique et dynamique, comprenant un enchaînement de douze postures précédées par la récitation à voix haute, premièrement de OM, deuxièmement d'un *bija-mantra,* troisièmement d'un nom du Soleil, quatrièmement du mot *namaha.*

Commençons par OM et les six autres monosyllabes ou *bija-mantras* HRAM, HRIM, HROUM, HRAIM, HRAOUM, HRAH.

A l'origine OM consistait en trois syllabes, A-U-M, c'est-à-dire trois sons distincts recouvrant tous ceux de l'univers. En sanscrit A-U joints ensemble deviennent O, donc on prononce AU-M = OM.

Le mantra OM appelé *Pranava* est le principe sonore primordial, il est l'Infini sous forme de son. OM a d'extraordinaires effets curatifs et régénérateurs sur tous les plans et agit sur l'ensemble de la personne. Il se prononce avec un « O » et un « M » longs comme par exemple dans le mot « paume ».

Les six *bija-mantras* ont, eux aussi, des effets curatifs, mais ils agissent chacun sur une partie spécifique du corps.

1. HRAM : se prononce comme « âme », le « h » aspiré émanant du cœur. Les vibrations de ce mantra stimulent le cœur et la partie supérieure des poumons.
2. HRIM : se prononce comme « rime » (en prolongeant le « ii »). La répétition de ce mantra revitalise la gorge, le palais, le nez.
3. HROUM : se prononce comme « groom », régénère le foie, la rate, l'estomac, les intestins.
4. HRAIM : se prononce comme la diphtongue des mots anglais « time » ou « rhyme », stimule les reins.
5. HRAOUM : se prononce comme « round », agit sur les intestins, le rectum.
6. HRAH : se prononce comme « haras » et vivifie le thorax et la gorge.

Les six *bija-mantras* se prononcent avec un « h » aspiré.

Voici les douze noms du Soleil avec leur signification :

1. MITRA : l'ami de tous.
2. RAVAYE : celui qui brille.
3. SURYAYA : lumière resplendissante.
4. BHANAVE : dispensateur de beauté éclatante.
5. KHAGAYA : celui qui se déplace dans le ciel.
6. PUSHNE : celui qui confère la force.
7. HIRANYAGARBHAYA : âme de l'Univers.
8. MARICHAYE : maître de l'Aurore.
9. ADITYAYA : Soleil d'or, fils d'Aditi.
10. SAVITRE : Astre bénéfique.
11. ARKAYA : dispensateur d'énergie.
12. BHASKARAYA : celui qui guide vers l'illumination.

Voici l'enchaînement des mantras et des différents noms du soleil :

PRANAVA	BIJA	NOM DU SOLEIL	JE TE SALUE
1 – OM	Hram	Mitraya	Namaha
2 – OM	Hrim	Ravaya	Namaha
3 – OM	Hroum	Suryaya	Namaha
4 – OM	Hraim	Bhanave	Namaha
5 – OM	Hraoum	Khagaya	Namaha
6 – OM	Hrah	Pushne	Namaha
7 – OM	Hram	Hiranyagarbhaya	Namaha
8 – OM	Hrim	Marichaye	Namaha
9 – OM	Hroum	Adityaya	Namaha
10 – OM	Hraim	Savitre	Namaha
11 – OM	Hraoum	Arkaya	Namaha
12 – OM	Hrah	Bhaskaraya	Namaha

Comme il y a six *bija-mantras* (sons-semences) et douze noms pour le Soleil, on répète les mêmes *bija-mantras* afin de compléter le cycle.

Chaque lettre ou son ainsi prononcé émet une vibration d'une fréquence déterminée. Chacune de ces fréquences réagit sur une partie distincte du corps humain et sur le mental. Après avoir longuement expérimenté la technique des vibrations, les Sages et les Yogis de l'Inde ancienne étaient parvenus à la même conclusion que la science moderne : tout ce qui est créé et vécu n'est que vibrations. Ce que nous voyons, entendons, goûtons, est produit par différentes sortes de vibrations. La couleur, on le sait, est une vibration, comme la pensée et les sentiments. Même les objets matériels, chaise, table, pierre, etc., sont en perpétuelle vibration.

La science moderne utilise certaines vibrations pour voir les objets à distance, guérir les maladies ou briser les atomes. Ainsi, les vibrations sont susceptibles de créer de l'énergie. Elles sont l'énergie. L'énergie est mouvement. Dans Surya Namaskar les mouvements du corps stimulent le fonctionnement des organes. Une respiration correcte et contrôlée permet le libre écoulement des énergies vitales (prâna) à travers le corps, régénère le système nerveux et les glandes endocrines.

Le meilleur moment pour pratiquer Surya Namaskar est le matin, au lever du soleil. Si cela n'est pas possible, on peut le faire au coucher du soleil ou éventuellement à une autre heure de la journée. On doit éviter de s'exposer au soleil de midi. Trois heures au moins avant l'exercice, il faut s'abstenir de toute nourriture. Une natte, un tapis ou une serviette de petites dimensions suffisent pour pratiquer l'exercice.

Précautions à prendre : on ne doit pas pratiquer Surya Namaskar lorsqu'on a une tension trop élevée, pendant une crise aiguë de sciatique, de lombalgie, d'arthrite ou si l'on souffre de troubles vertébraux, en cas d'insuffisance cardiaque, d'infection pulmonaire, de fièvre, etc.

Note : afin d'éviter l'essoufflement et la fatigue, toutes les postures de Surya Namaskar doivent être coordonnées avec la respiration. Il faut inspirer et expirer par le nez. On ne devrait jamais procéder avec trop de hâte. Il est conseillé de commencer avec trois cycles et d'en ajouter un chaque semaine jusqu'à ce que l'on arrive à douze cycles ou davantage.

Posture 1

Etendre une petite serviette par terre. Se tenir debout, droit, face au soleil levant, les pieds joints de façon que les orteils touchent le bord de la serviette. Joindre les paumes devant la poitrine. Laisser les rayons ultraviolets inonder son corps et sentir l'énergie solaire pénétrer en soi. Réciter le premier mantra : « *OM Hram Mitraya Namaha.* »

Posture 2

Inspirer en levant les bras, paumes au ciel, et en étirant le corps tout entier, se pencher légèrement en arrière, en creusant la partie supérieure du dos et en rentrant bien l'abdomen.

Effets bénéfiques : cette posture, qui étire à fond les muscles du corps, fortifie la colonne vertébrale et tonifie le système nerveux.

Posture 3

Pencher le tronc en avant. Sans plier les genoux, en expirant complètement, placer les mains à plat sur la serviette. Le visage doit toucher les jambes au niveau des genoux. Eviter de trop rentrer la tête et le menton pour maintenir un bon équilibre pendant le mouvement.

Effets bénéfiques : cette posture empêche le vieillissement prématuré. Les muscles des jambes et la région sacro-lombaire sont tonifiés. La colonne vertébrale et la tête reçoivent un flot abondant de sang frais.

Posture 4

Les mains restent sur la serviette et ne doivent pas bouger jusqu'à la posture 10. En inspirant, il faut étendre la jambe droite en arrière et poser le genou et les orteils au sol. On doit lever la tête. Le genou gauche est plié, le talon touchant le sol. La cuisse gauche est appuyée contre le tronc.

Effets bénéfiques : cette posture assouplit les jambes et stimule le plexus solaire.

317

Posture 5

Tout en gardant le souffle, étendre la jambe gauche en arrière et joindre les pieds ; les genoux ne doivent pas toucher le sol, les bras sont allongés et le corps repose uniquement sur les orteils et les mains. Maintenir le corps dans une ligne droite comme une planche.

Effets bénéfiques : cette posture tonifie le corps et fortifie les muscles des bras et de la ceinture scapulaire.

Posture 6

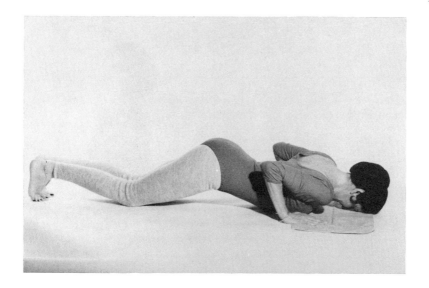

En expirant, il faut plier les bras et, en s'appuyant sur les mains et
les orteils, poser simultanément genoux, poitrine et front sur le sol.
On doit soulever les hanches, rentrer le ventre. L'abdomen ne doit
pas toucher le sol. C'est le *sashtanga namaskar,* la prosternation avec
huit points du corps qui touchent le sol : orteils, genoux, mains,
poitrine et front. C'est la posture clef de la Salutation au Soleil.

Effets bénéfiques : cette posture stimule toute la colonne vertébrale
et le système nerveux, fortifie les bras.

Posture 7

Il faut inspirer en cambrant au maximum la colonne vertébrale en arrière, en allongeant les bras et en levant la tête. On doit baisser les épaules et rapprocher les omoplates. Le corps repose uniquement sur les orteils et les mains.

Effets bénéfiques : les bras sont fortifiés, la colonne vertébrale est tonifiée et assouplie. Les organes internes sont stimulés.

Posture 8

En restant poumons pleins, lever le corps et les hanches tout en gardant les mains à la même place ; les bras, le dos et les jambes sont complètement droits, les talons doivent toucher le sol. Le corps forme un V renversé.

Effets bénéfiques : cette posture permet un étirement à fond des jambes, du dos et des bras. Elle stimule les nerfs le long de la colonne vertébrale et améliore la circulation du sang. Elle assouplit le corps.

Posture 9

En retenant toujours le souffle, avancer le pied droit, le poser à plat sur le sol. Les orteils doivent toucher le bord de la serviette. Les mains restent à la même place, la jambe gauche est étendue derrière soi, le genou et les orteils au sol. C'est la même posture qu'en n° 4, seulement la position des jambes est inversée.

Effets bénéfiques : cette posture produit les mêmes effets que la posture 4.

Posture 10

En expirant, placer le pied gauche à côté du droit et allonger complètement les jambes ; les mains restent dans la même position. Le tronc est penché en avant, le visage touchant les jambes. Cette posture est identique à la troisième.

Effets bénéfiques : les mêmes que pour la posture 3.

Posture 11

En inspirant, lever les bras au-dessus de la tête et se pencher légèrement en arrière. Cette posture est identique à la deuxième.

Effets bénéfiques : les mêmes que pour la posture 2.

Posture 12

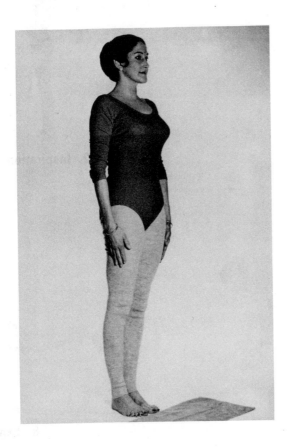

Tout en expirant, baisser les bras. Se tenir bien droit en regardant le soleil. Se concentrer sur le bienfait de cet exercice.

Puis on enchaîne le cycle suivant et ainsi de suite... La durée d'un cycle de Surya Namaskar, tel qu'il est présenté ici, est d'environ vingt-deux secondes, sans compter la récitation des mantras.

YOGA

1. Mantra

2. Inspiration

5. Rétention

6. Expiration

9. Rétention

10. Expiration

SURYA NAMASKAR

3. Expiration

4. Inspiration

7. Inspiration

8. Rétention

11. Inspiration

12. Expiration

En conclusion, il faut dire que la récitation correcte des mantras, ainsi qu'une respiration régulière coordonnée avec le déroulement rythmé des postures de la Salutation au Soleil créent des vibrations harmonieuses dans le corps et le cerveau et ont un effet équilibrant sur l'ensemble de la personne, ses émotions, ses états d'esprit.

Il existe en Inde plusieurs variantes de Surya Namaskar. Elles présentent quelques différences de forme mais l'esprit reste toujours le même.

Selon certaines traditions, chaque posture se déroule sur une inspiration ou une expiration. L'exemple qui est donné ci-dessus est une version avec rétention du souffle en postures 5, 8 et 9. Il est recommandé cependant aux débutants de pratiquer le Surya Namaskar sans rétention du souffle en postures 8 et 9 (c'est-à-dire expirer en posture 8 et inspirer en posture 9).

La Salutation au Soleil, sous la forme exposée dans ce chapitre, ainsi que d'autres variantes sont enseignées par

ANJALI DEVI ANAND
et
SRI ANANDA
au Centre Indien de Yoga à Paris.

APPENDICE

Exemple d'une leçon
de
courte durée

(environ 30 minutes)

1. Respiration yoguique
   complète
   Allongé sur le dos ou   (p. 82)   5 fois
   Assis les jambes croisées   5 fois

2. Pavana Muktâsana   (p. 97)   5 à 7 fois

3. Bhujangâsana   (p. 147) 2 à 3 fois

4. Ardha-Salabhâsana   (p. 152) 2 fois

5. Paschimottanâsana   (p. 142) 5 secondes
          ou   répéter 2 à 3 fois
   Padahastâsana   (p. 145) 5 secondes
                                 répéter 3 à 5 fois

6. Vakrâsana   (p. 134) 5 secondes de chaque côté

7. Trikonâsana   (p. 136) répéter 2 fois

8. Viparîtakarani   (p. 164) 5 secondes à 1 minute
                                 ajouter 15 secondes par
                                 semaine jusqu'à 1 minute

9. Yoga-Mudra   (p. 123) 2 à 3 fois

10. Anuloma Viloma   (p. 88)   2 à 5 cycles

11. Ujjayi Prânâyâma   (p. 91)   3 à 7 cycles

12. Savâsana   (p. 176) 2 minutes
                                  ajouter 2 minutes par
                                  semaine jusqu'à 10 minutes

Exemple d'une leçon
de
longue durée

(environ 1 heure)

1. Respiration yoguique
   complète
   Allongé sur le dos ou   (p. 82)   5 fois
   Assis les jambes croisées   5 fois

2. Padmâsana ou Siddhâsana   (p. 116   5 secondes
                            et 119)   ajouter 10 secondes par
                                        semaine jusqu'à 3 minutes.

3. Bhujangâsana   (p. 147)   2 à 3 fois

4. Salabhâsana   (p. 150)   2 à 3 fois

5. Dhanurâsana   (p. 153)   2 à 3 fois

6. Paschimottanâsana   (P. 142)   5 secondes
                                        répéter 2 à 3 fois

7. Halâsana   (p. 139)   10 secondes
                                        répéter 2 à 3 fois

8. Ardha-Matsyendrâsana   (p. 130)   15 secondes chaque côté
                                        répéter 2 à 3 fois

9. Supta-Vajrâsana   (p. 128)   5 secondes
                                        ajouter 5 secondes par
                                        semaine jusqu'à 1 minute

10. Trikonâsana   (p. 136)   2 à 3 fois

11. Sarvangâsana   (p. 166)   30 secondes
                                         ajouter 30 secondes par
                                         semaine jusqu'à 3 minutes

12. Matsyâsana   (p. 170)   5 à 10 respirations
                                         yoguiques complètes

13. Sîrshâsana   (p. 172)   15 secondes
                                         ajouter 15 secondes par
                                         semaine jusqu'à 3 minutes

14. Yoga-Mudra	(p. 123)	2 à 3 fois
15. Savâsana	(p. 176)	1 à 2 minutes
16. Uddiyana-Bandha	(p. 159)	2 fois ajouter 2 fois par semaine jusqu'à 6 fois
17. Kapalabhati	(p. 92)	2 à 3 cycles pour commencer ajouter 1 cycle par semaine selon sa capacité
18. Anuloma Viloma	(p. 88)	2 à 5 fois
19. Ujjâyî	(p. 91)	2 à 3 cycles pour commencer
20. Savâsana	(p. 176)	2 minutes ajouter 2 minutes par semaine jusqu'à 10 minutes

Table
des
matières

ACHEVÉ D'IMPRIMER EN JUIN 1988
SUR LES PRESSES DE MAURY, A MALESHERBES

Numéro d'éditeur : 31134 – Numéro d'imprimeur : E88/23834 Y
Dépôt légal : 1er trimestre 1979

inter 11·88 -